RAFAELA GENEROSO

O MAPA DA PROSPERIDADE

O mapa da prosperidade
1ª edição: Setembro 2019
Direitos reservados desta edição: CDG Edições e Publicações

*O conteúdo desta obra é de total responsabilidade do autor
e não reflete necessariamente a opinião da editora.*

Autora:
Rafaela Generoso

Preparação de texto:
André Fonseca

Revisão:
3GB Consulting

Projeto gráfico:
Dharana Rivas

Foto de capa:
Nilo Lima

DADOS INTERNACIONAIS DE CATALOGAÇÃO NA PUBLICAÇÃO (CIP)

G326m Generoso, Rafaela.
O mapa da prosperidade: práticas milenares para vencer seus medos, alcançar seus objetivos e realizar seus sonhos / Rafaela Generoso. – Porto Alegre: CDG, 2019.
222 p. ; 23 cm.

ISBN: 978-65-5047-001-2

1. Sucesso pessoal. 2. Prosperidade. 3. Sucesso no trabalho. 4. Autorealização. I. Título.

CDD - 158.1

Bibliotecária responsável: Cíntia Borges Greff - CRB 10/1437

Produção editorial e distribuição:

contato@citadeleditora.com.br
www.citadeleditora.com.br

RAFAELA GENEROSO

O MAPA DA PROSPERIDADE

PRÁTICAS MILENARES PARA VENCER SEUS MEDOS,
ALCANÇAR SEUS OBJETIVOS E REALIZAR SEUS SONHOS

2019

"Rafaela inspira você a criar uma vida divina por meio da sua história de vida, fazendo uma ligação entre suas experiências de vida e conceitos e teorias da ciência moderna. Não apenas traz à tona importantes informações, como também inspira o leitor a ter consciência dessas forças na sua vida."

Amanda Dreher

Acesse o treinamento on-line por meio do QR Code ao lado e descubra um conteúdo transformador, criado exclusivamente para os leitores da obra!

Dedico este livro a minha amada mãe, Maria Angélica, a minha avó Edir, ao meu pai, José Horta, meus irmãos e cunhadas, minha tia Elô, todas as minhas ancestrais, ao meu amado Tarcísio, às minhas filhas, Maria Clara, Serena e Helena (que é uma estrelinha no céu), a minha afilhada Gabi, minha sogra, Beatriz, a Cinthia, Vavá, Karol, Déborah e Jaque, que sempre me apoiaram, a minha querida assessora, Márcia Dornelles, que viu em mim o seu diamante rosa, a todas às Divinas da Academia Vida Divina e a todas as mulheres no mundo que desejam ser financeiramente livres para realizar todos os seus sonhos e não querem depender de um príncipe, da família, do governo para bancar cada um deles. Dedico também a todas as solteiras que desejam se casar por amor e construir o seu lar próspero e abundante.

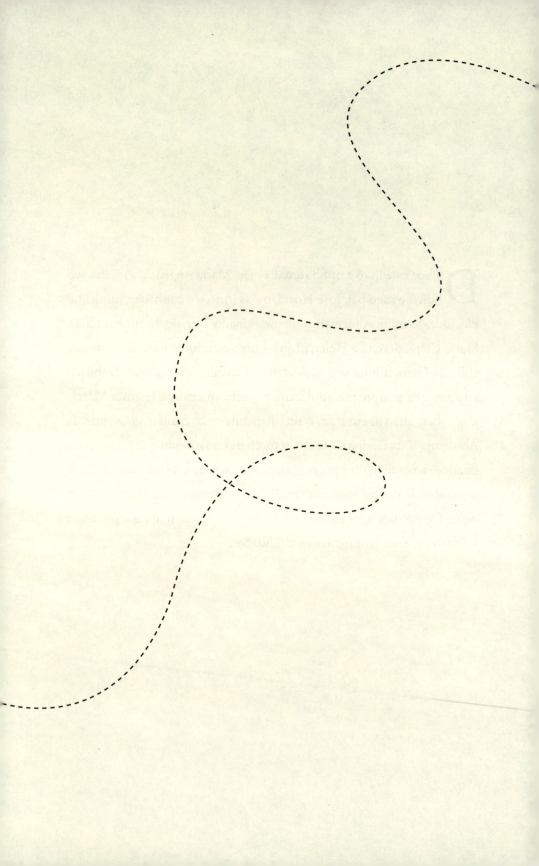

PREFÁCIO

Em junho de 2018, tive a oportunidade de conhecer a Rafaela Generoso. Dividimos o mesmo palco em um grande evento na cidade de Aracaju, Sergipe. Quando a vi palestrando com aquela energia surreal, alegria enorme e tamanho entusiasmo para contribuir, motivar e inspirar outras pessoas a prosperarem em suas vidas, fiquei realmente impressionado e tocado por suas palavras.

Hoje faço questão de propagar uma ideia que ouvi dela: você precisa amar o que faz, mas não basta apenas amar; precisa ter um amor intenso por aquilo que é a sua vida, sua missão, seu propósito. É disso que este livro está totalmente impregnado.

Para vencer na vida, amando intensamente o que faz, primeiro você precisa acreditar no seu propósito. Sua fé precisa ser inabalável, porque se houver qualquer dúvida você se tornará frágil. Somente com o poder da fé será possível que você acredite firme que vai prosperar, independentemente das dificuldades que a vida lhe impuser.

A seguir, vai ser preciso desenvolver uma paixão legítima por aquilo que você faz e pela certeza de que vai vencer. Seus olhos precisam brilhar com o que você faz. Costumo dizer que a essência da paixão por vencer é ter nos olhos aquele brilho que pode ser facilmente identificado em pessoas que batem no peito e fazem acontecer o que é preciso e assim conquistam seus sonhos e metas. Esse tipo de pessoa é que vai à luta e faz o que é necessário para chegar aonde decide que vai estar.

Resultados excepcionais são atingidos por quem tem esse comportamento, que torna as pessoas capazes de mudar o curso de sua vida. Para qualquer um que sonhe com a prosperidade, seja pessoal, profissional, a única garantia de conseguir obtê-la vem da paixão por vencer. Com paixão, você dorme, sonha, acorda, vive pensando no sucesso. E faz o que é preciso para conquistá-lo.

Sempre digo que, quando a pessoa acorda e diz "Droga, vou ter que trabalhar hoje!", está na hora de mudar de emprego ou mudar de negócio. Quando a pessoa fica olhando o relógio, esperando chegar as seis da tarde para bater o cartão e ir embora, está na hora de cair fora desse trabalho ou desse negócio que está empreendendo.

Essa é uma situação que não faz bem para a pessoa. Ela não gosta do que faz, e isso causa dor. Ela não vai conseguir produzir o suficiente para trazer resultados para si, muito menos para os outros ou para a empresa em que trabalha. Se é dona do negócio, não vai gerar faturamento que compense todo o sofrimento. As pessoas que não amam o que fazem tendem a fracassar muito rapidamente.

Quando coloca o coração no que faz, você canaliza toda a energia para aquilo e torna seus sonhos mais fáceis de realizar. Paixão por vencer naquilo que você ama fazer é uma vibração intensa.

Por isso, tenha paixão por vencer. Tenha brilho nos olhos. Tenha amor pelo que faz. Não faça só o que gosta, mas goste do que faz. Tenha sede de conquista, de vitória, queira fazer história e deixar um legado.

Lembre-se sempre: você precisa ter um amor intenso por aquilo que é a sua vida, sua missão, seu propósito. Por isso, neste livro você vai encontrar o verdadeiro mapa da prosperidade. A Rafaela Generoso não vai dar o peixe a você, mas vai ensiná-lo a pescar, com toda a paixão pelo que faz.

Boa leitura, e prospere cada vez mais!

Edgar Ueda

Autor do *best-seller Kintsugi − O poder de dar a volta por cima*

SUMÁRIO

Era uma vez uma Vida Divina... ✧ 17

Como nossos pais ✧ 23

Novos desafios ✧ 33

Montanha-russa ✧ 45

A revolução necessária: Vida Divina na Terra ✧ 55

Os quatro corpos ✧ 63

Reforma íntima – a reforma necessária ✧ 77

A fonte do poder pessoal ✧ 81

Amigos da prosperidade ✧ 99

As oito leis essenciais da prosperidade ✧ 131

O mundo como você o vê não vai levá-la para sua Vida Divina ✧ 151

Travas da prosperidade ✧ 157

Relacionamentos e prosperidade ✧ 167

Saúde e prosperidade ✧ 181

Posicionamento próspero no trabalho ✧ 185

Hora da ação ✧ 209

Um pouco de magia ✧ 219

ABANDONE
ESTE LIVRO AGORA CASO VOCÊ:

- ✧ Não acredite em Deus;
- ✧ Já tem toda a riqueza, o amor e a felicidade que deseja;
- ✧ Está em busca de estratégias para ganhar dinheiro fácil a qualquer custo.

EMBARQUE
NESTA AVENTURA SE VOCÊ:

- ✧ Deseja alinhar a sua vida espiritual com a financeira e alavancar seu negócio rapidamente;
- ✧ Quer crescer sua empresa conseguindo mais clientes consistentemente;
- ✧ Ajuda as pessoas a resolverem algum problema de vida ou de negócios;
- ✧ Deseja gerar mais impacto e transformar mais pessoas com seu talento;
- ✧ Deseja conquistar mais alegria, saúde e sucesso dentro do que você considera sucesso;
- ✧ Quer realizar seus sonhos mais lindos e suas metas mais ousadas;
- ✧ Enfim, se você deseja construir uma VIDA DIVINA.

"A felicidade não está nas circunstâncias por que passamos, mas em nós mesmos. Não é algo que vemos, como um arco-íris, ou sentimos, como o calor de uma fogueira. A felicidade é algo que somos"

John Sheerin

ERA UMA VEZ UMA VIDA DIVINA...

Era uma vez uma costureira que tecia sonhos. Desses sonhos nasceu uma criança que parecia ter vindo de uma estrela qualquer, mas tinha nascido de dentro da barriga daquela mulher corajosa que não se esquecia de sonhar, mesmo quando a vida era dura demais e dizia que ela deveria ter os dois pés no chão.

Essa menina nasceu como se tivesse sido feita por encomenda. A costureira era sabida: colocou um pedaço de tudo que achava que aquela criança precisaria em sua vida. Tinha uma intuição forte, bastante fé e parecia transitar entre os dois mundos: o da fantasia e o mundo real.

Maria Angélica era seu nome. Tinha um quê de angelical, uma pitada de nome santo. A força de Maria e a proteção e leveza dos seres de luz. Ah, e ela tinha Ramos no sobrenome, que simbolizam a vitória e o triunfo. Maria Angélica Ramos.

Para melhorar e multiplicar todas as bênçãos com as quais ela tinha nascido, encontrou um Generoso. José Horta Generoso. Também tinha nome santo, uma horta pronta para receber o plantio de palavras que virariam sementes e uma responsabilidade em forma de nome: Generoso.

Maria e José se apaixonaram, e desse encontro sagrado nasceu uma criança. Era para ter nome de arcanjo, Rafael. Como veio uma menina, virou Rafaela.

Aqui estou eu para contar essa história. Meu nome é Rafaela Generoso, e eu te garanto que esse não é um conto de fadas. Mas, embora eu tenha encontrado tantos elementos extraordinários que sucederam meu nascimento, tenho certeza de que, se você parar agora, vai encontrar na sua vida detalhes que passaram despercebidos, mas que garantem que você nasceu para desfrutar de uma Vida Divina.

Todos nascemos com nossos desafios. Da lama brota a flor de lótus, que só consegue florescer quando sua raiz está na lama, seu caule na água, e sua flor, no sol. Esse crescimento é necessário para todos nós, que, independentemente de onde viemos e como nascemos, estamos destinados a uma Vida Divina.

Desejo que, a partir de agora, você possa despertar o seu olhar para sua vida e assim sentir como ela é um evento cercado de milagres. Estar aqui, com seu corpo pulsando, suas células trabalhando a seu favor, seus órgãos naturalmente fazendo seu trabalho, já é prova do milagre divino. Nascer é um verdadeiro milagre.

Só que, para criar essa Vida Divina na Terra, é necessário honrar as suas raízes. Mesmo que pareçam o pior lamaçal, essas raízes é que farão com que você encontre forças para florescer e encontrar o seu sol.

Se tudo isso parece ainda um papo de maluco, espere só para ver: vou contar em detalhes como a sua história pode estar relacionada à sua prosperidade e como curar seu passado pode transformar você no futuro.

A vida de vez em quando parece uma grande história de contar. Se a gente olhar com um filtro do amor, vai perceber que todos os detalhes que compõem a nossa trajetória podem ser peças de um quebra-cabeça que vai formar um grande quadro, quase uma pintura divina.

O que eu vou fazer a partir de agora é guiá-lo nesta jornada para que você construa o seu quebra-cabeças e consiga entender que peças parecem estar faltando e onde você irá buscá-las. Ou melhor: como fazer com que elas se encaixem de maneira orgânica na sua vida sem que você precise correr atrás delas.

Lembra aquela história de cuidar do próprio jardim, que as borboletas virão? É mais ou menos o que nós faremos a partir de agora. Primeiro, parar de correr atrás das borboletas e cuidar desse jardim, que pode estar maltratado depois de anos sem olhar, sem regar, sem cuidar. Depois, vou contar uns segredinhos para atrair as borboletas mais bonitas. Não só aquelas que pousam sem ser convidadas. Aquelas que você quer por perto.

Essas borboletas são as condições ideais, a saúde perfeita, o relacionamento amoroso mais incrível, a grana que você quer ter, a vida que você vai desfrutar. Pode parecer estranho dizer isso agora, principalmente se você estiver no meio da lama, mas lembra quando você era criança e tinha aquele poder de imaginar tudo aquilo que queria? Albert Einstein dizia que a imaginação é mais importante que o conhecimento, e eu acredito nisso.

Fique tranquila, que aqui não vamos tratar dos seus desafios só no campo da imaginação: vou trazer soluções reais para você criar esse campo de prosperidade na sua vida. E só posso trazer tais soluções porque precisei encontrá-las para selar a minha própria vida.

Embora eu conte minha história acima como um lindo conto de fadas, não nasci em berço de ouro. Sofri dificuldades que fizeram com que eu me tornasse quem sou. A Vida Divina está à nossa disposição desde o momento em que nascemos, e podemos criar condições para que se faça uma trajetória fantástica, deixando neste mundo uma fagulha do amor divino que trouxemos conosco.

Se trazemos a Centelha Divina, que é um pedacinho de Deus dentro de nós, somos criadores da nossa história e podemos compor todas as etapas de nossa vida como uma música, numa dança infinita com o Universo que pode nos proporcionar tudo aquilo que aparentemente falta para que possamos vislumbrar a vida que tanto sonhamos.

A pergunta não é sobre quem "nasceu especial" e consegue materializar sonhos. A pergunta é sobre como você vai transformar a sua jornada numa experiência de sucesso em todos os níveis. Como você vai criar um Universo rico de possibilidades inspiradoras e únicas.

Muita gente acha que prosperidade se trata apenas de dinheiro. Eu diria que também se trata de dinheiro, mas não apenas dele. Falaremos disso mais adiante.

Hoje, como fundadora da Academia Vida Divina, alguns me chamam de mentora da prosperidade, outros me conhecem como uma empresária arrojada, e outros acreditam que eu seja uma pessoa com facilidade e habilidade de ajudar as pessoas a se reconectarem com sua essência.

Desejo que você, a partir de agora, entre nesse universo despida de medos, de orgulho, de crenças que a impedem de enxergar a vida que você nasceu para desfrutar. Coloque numa caixinha todos os pré-conceitos que carrega e abra seu coração para que possamos nos conectar, sendo guiadas pelo verdadeiro GPS da vida.

Ao longo da minha trajetória, mesmo sem varinha de condão, coleciono relatos de mulheres que foram transformadas e construíram vidas extraordinárias, dignas de filmes de Hollywood.

Você não nasceu para viver um roteiro engessado, nasceu para viver um que seja digno de Oscar. Todos nascemos para ser protagonistas, estrelas, seres humanos dotados de capacidades infinitas.

Experimente viver uma Vida Divina.

"Seja aquela mulher que, ao se levantar, olha no espelho com alegria e gratidão, joga purpurina na alma, bate o cabelo e sai para o mundo espalhando prosperidade e felicidade. Aquela que, ao acordar, os anjos de luz dizem lá de cima: Lá vai ela abrilhantar o mundo com sua luz e espantar a escuridão, estamos com você!"

Rafaela Generoso

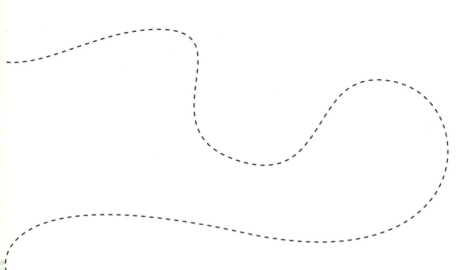

COMO NOSSOS PAIS

"E tudo aquilo que no amor se sustente, amizade ou casal, família ou agrupação, governo ou nação, alma individual ou humanidade, será firme e seguro, haverá de prosperar e frutificar e não conhecerá a destruição..."

Ami, o menino das estrelas

Você sabia que nosso DNA não tem só a cor do olho e do cabelo? Que ele carrega todas as informações de todas as nossas gerações passadas? Que você tem essa informação nas suas células?

Por isso, neste livro, faço questão de começar a minha história no ponto onde duas pessoas se encontraram, na cidade de Teixeiras, Minas Gerais. Seu José e Dona Maria. Foi lá que meu pai, com seus vinte anos, e minha mãe, com seus treze, se cruzaram pela primeira vez.

Sabido, ele logo disse que queria namorar aquela menina bonita, só que ela foi arredia: disse que, quando ela fizesse quinze anos, se ele esperasse, quem sabe namorariam.

Para não perder tempo com conversa, ela logo avisou:

– Eu não vou namorar com um moço que não estuda.

Ele era da roça, precisava colocar dinheiro em casa, então mais trabalhava que estudava, e por isso repetia de ano. Foi por repetir de ano que minha mãe o alcançou nos estudos, e foi enfática: não ia namorar quem não fosse estudioso.

Meu pai, que não era bobo nem nada, tratou de enfiar a cabeça nos livros e foi parar na escola agrícola de Florestal, em Minas Gerais. Minha mãe seguiu estudando e fez magistério. Os dois trocavam cartas enquanto ela se via às voltas com uma fé inabalável e uma intuição que começava a ganhar fama na cidade. Mulher poderosa, ela parecia adivinhar o destino de todo mundo nas cartas, o que lhe rendia uma fama que fazia o povo bater na porta de casa o tempo todo querendo conselho.

Ainda assim, tempos depois, decidiu jogar suas cartas de tarô no mar de Conceição da Barra, perto de casa, para evitar tanto falatório e romaria até nossa casa, afinal, já bastavam os sonhos proféticos que ela não conseguia controlar. Ela queria viver o presente e manter sua mente ali, longe de adivinhações que estavam no futuro.

Assim, papai continuava firme no trabalho e nos estudos, e ela, implacável estudando para ser professora. Generosa, mesmo ainda sem aquele sobrenome, ela presenteava de graça com seus conselhos: sabia que seu dom não tinha nada de mau e que ajudar a quem precisava era um bálsamo para a própria alma.

Logo os dois se casaram e foram morar em Minas Novas, uma cidade onde, naquela época, não chegava nem comida para abastecer o mercadinho, que de super não tinha nada. Nesse cenário, eu nasci. E se você ainda acha que de onde veio determina para onde você vai, saiba que, durante a minha infância, vivi um cenário de guerra: a escassez era tanta que, mesmo quando a gente tinha dinheiro para comprar, a comida faltava, por não ser transportada até a nossa cidade.

Minha mãe, que durante a infância tinha sido acostumada com enchentes levando quase tudo, não via problema. Mesmo que eu não fosse amamentada por ela e ela precisasse voltar ao trabalho enquanto eu ainda era recém-nascida.

Mamando nas amas de leite da rua toda, tomei o abençoado leite materno que sobrava do peito das vizinhas, ou a famosa mistura de banana e água. Nas minhas veias já corriam o sangue e a força dos meus pais. Fui crescendo e absorvendo os conceitos que papai e mamãe traziam para mim.

Tudo transcorreu bem até os onze anos, quando ganhei uma tartaruga da minha prima Gabi. Era muito apegada à bichinha, só que um dia ela acabou ficando no sol durante tempo demais e começou a espumar, então a minha irmã de criação, Natalia, a colocou na água fria para refrescar, e ali ela morreu. Apavorada por perder a tartaruga, comecei a chorar, e minha mãe disse que podia ser que ela voltasse à vida. Colocou a tartaruga na sauna da casa, mas nada adiantou. Durante uma semana, enquanto eu voltava para ver se a bichinha estava viva, dava de cara com vermes comendo o interior do casco dela.

Minha mãe, vendo minha esperança por poder ter a tartaruga de volta, disse com a voz firme:

– Filha, a gente tem que acreditar, mas chega um ponto em que Deus manda mais do que a gente. Agora a gente precisa aceitar.

Eu ainda não sabia o que significava a palavra "aceitação", nem que aquilo ia ser tão importante para mim, mas o olhar dela fez com que eu entendesse que aquela não seria a primeira nem a última perda dolorosa que eu teria na minha vida.

Muitos anos depois, eu estudaria reprogramação mental, física quântica, e acessaria muito conhecimento. Muitos anos depois, depois de acessar tantos livros e professores, descobrir que aceitação era o nível máximo quando falamos de alinhamento de chacra, eu finalmente entenderia quem tinha sido a minha grande mestra. Sua sabedoria simples e genuína transcendia tempo e espaço.

Era nesses momentos, quando estávamos juntas, que ela fazia eu sentir como o poder de sua fé era quase palpável.

Sabendo que eu sofria em silêncio pela perda da tartaruga de estimação, mamãe fez uma promessa, diante do Cristo que estava numa imagem no altarzinho improvisado do presépio de Natal:

— Eu te prometo uma coisa. Nós vamos ter uma chácara. Nós vamos ter uma fazenda. Nós vamos ser fazendeiras. Você vai ter porco, tartaruga, galinha, patos, cavalos, todos os animais que quiser.

Para uma criança que tinha sido criada na escassez, aquele cenário imaginário de minha mãe parecia uma grande ilusão. Até que, certo dia, quando passamos em frente a uma fazenda, a Fazenda Primavera, ela disse:

— Vamos ter essa fazenda. Nós vamos ser donos dessa fazenda.

Eu e papai nos entreolhamos e sorrimos em segredo. Era improvável que a fazenda do prefeito fosse parar em nossas mãos. Hoje, escrevendo este livro do haras da família, onde todo esse sonho começou, sei que, quando eu olhava meio torto para a mamãe, que já previa o que conquistaríamos seis anos depois, eu fazia exatamente o que muitas pessoas que pegarão este livro farão quando eu falar sobre o campo das infinitas possibilidades.

Maria Angélica era uma mulher com uma visão holística da vida, intuição forte, que acreditava que o mundo trazia um cardápio de coisas que poderíamos usufruir. Ela levava isso para uma corrente de bem e fazia com que meu pai fosse contagiado pela sua visão de futuro. Sempre que ele falava de um novo projeto, ela dizia: "Vai, José, trabalha e pode confiar, que Jesus está na frente. Vai dar certo. Já deu certo!". E assim era feito.

Sem nunca fazer conta para ajudar os outros, ela reformou igrejas, buscava ambulância para a Apae, junto com meu pai doavam bezerros para rifas, enfim, ajudavam quem estava por perto. Enquanto desenrolo esse novelo, destrinchando minha história, percebo que tudo foi uma jornada de cura, e há pouco descobri que a tartaruga simboliza a cura que carregamos em nosso interior, nos recordando de que a conexão com a Grande Mãe está no dar e receber, e isso é prosperidade pura.

Por mais que, durante um período da juventude, eu tenha rejeitado minha mãe e seus ensinamentos, acreditando que ela vivia num Fantástico Mundo de Bob, era com a sua força interior que ela fazia com que nada de fora entrasse nela. Seu campo de energia era tão forte que ela era impenetrável.

Mas se hoje sei o que sei e colho os resultados que colho, também devo isso ao meu pai, que me ensinou o valor do trabalho muito cedo. Se é bonito usar a credencial de *coach* de prosperidade e riqueza, programadora mental, terapeuta quântica, pós-graduada em neurociências, mestre em PNL, hipnose e *mindfulness*, nenhum desses títulos me dá mais orgulho que o de vendedora de *chup chup*.

Sim, esta autora que vos escreve aos onze anos teve a maior decepção de sua vida de menina/moça ao pedir uma mesada para o pai, que respondeu imediatamente:

– Só se for pra te dar uma cadeirada!!

Mesmo com o tom incisivo, ele não deixou de me trazer uma solução para a minha inquietação.

– Filha, vou te ensinar a fazer dinheiro, e não a ganhar.

Foi assim que, com onze anos, depois de assistir a muito desenho animado, tive uma grande ideia: iria vender *chup chup*, o famoso geladinho.

Apoiada pela família, ganhei uma caixa de isopor e saí para vender, animada.

– Olha o *chup chup* gostosinho que vai te deixar feliz!

Quando voltei com o dinheiro, feliz, meu pai me deu outro ensinamento.

– Agora vou descontar o dinheiro da água de coco, da fruta, da luz, do saquinho...

Sem saber, ele me ensinava a prosperar. Fazer conta de gente grande, calcular lucro. Trabalhar sem frescura. Aquele mesmo pai que trabalhava noite e dia começava a ver os frutos do seu trabalho, já que a sua empresa começava a prosperar, e mamãe, além das aulas na escola pública, cuidava do Supermercado Santa Clara, que nos rendia lanchinhos deliciosos, e não apenas o famoso pão de sal queimado, que eu sem querer deixava com sabor de carvão.

O gosto daquele período até hoje chega ao meu paladar. Assim que consegui um dinheirinho, saí com a minha tia-avó Filinha para comemorar e pagar um sorvete de banana para nós duas. O gosto do sorvete era fantástico. Era gosto de alegria, de independência, de proporcionar algo a alguém. Ter dinheiro virou sinônimo de beneficiar ao próximo de alguma forma.

Fui crescendo e trabalhando em tudo quanto era lugar. Enquanto meu pai me ensinava sobre lucro, variáveis e vendas, minha mãe dizia que eu deveria trabalhar servindo da melhor forma o outro. Que levar a solução de um problema era importante.

Naquela época eu não fazia ideia de que as mulheres tinham mais dificuldade de enriquecer, não por falta de potencial, mas por condicionamentos que iam desde o histórico da Pré-História, passando de geração em geração, embutindo crenças num nível inconsciente.

Embora eu não soubesse disso, tinha informações preciosas acerca da história da minha família: minhas duas avós haviam rompido com padrões pré-estabelecidos e recusado casamentos arranjados.

Até hoje não sei se por força do DNA ou porque eu realmente já acreditava que viver uma vida com dinheiro era sinônimo de independência, pouco antes de completar treze anos disse para o meu pai:

– Quero ter dinheiro para poder escolher com quem casar. Não quero me casar só com quem tem dinheiro. Quero namorar o menino a pé ou de bicicleta.

Ele achou aquele papo de doido, mas já sabia que a pequena Rafaela era uma menina que não queria ver ninguém mandando nela.

Se estou contando tudo isso para você, é porque quero que saiba que só a sua história fará com que você entenda as muitas travas que carrega. Hoje sei que acolher, aceitar e amar incondicionalmente vem dos pais, e se você não acolhe e vive esse amor pleno, não prospera.

Talvez você não saiba, mas a vida nos trata como tratamos a nossa mãe. Segundo Bert Hellinger, psicoterapeuta criador das Constelações Familiares, o sucesso tem a face da mãe.

O que isso quer dizer? Que quem não conquista relacionamentos afetivos amorosos, enriquecedores para ambos, uma relação saudável com o dinheiro ou os seus objetivos, é porque "não tomou sua mãe".

Embora durante muito tempo eu tenha acreditado que mamãe vivia no seu mundo fantástico, só quando a aceitei plenamente, sem julgá-la, carregando-a amorosamente no coração, pude prosperar em minha vida.

Segundo o psicoterapeuta, muita gente diz que isso é tarefa impossível. Aceitar a nossa mãe é um grande calcanhar de Aquiles. As pessoas preferem carregar o peso da mágoa, da angústia e do sofrimento.

Mas você já parou para pensar que não tem como aceitar a Vida Divina sem aceitar quem te gerou? Por mais que você tenha seus desafios com sua mãe, que de uma forma inconsciente a filha tenha certa competição com a mãe, quando você faz as pazes com o passado, resgata a possibilidade de crescer e encontrar a felicidade no futuro.

Como desejo que você se torne uma verdadeira Dama da Prosperidade, é importante que você entenda e aceite os possíveis conflitos dessa relação mãe e filha e compreenda que isso é de certa forma normal, ainda que não seja desejável para obter a prosperidade. Isso a ajudará no papel de filha e de mãe de meninas. No inconsciente sempre há uma área de conflito entre mãe e filha que se desenrola como um jogo inconsciente. Muitas vezes uma não compreende a maneira de ser da outra, e se instala um processo de estranhamento mútuo. Foi exatamente assim entre mim e minha mãe, até eu me tornar mãe e mudar a posição nesse jogo e minha percepção.

Agora saiba que, mesmo que esse conflito entre mãe e filha nunca venha a emergir e se manifeste apenas a relação de amor e carinho, existem emaranhamentos a serem alinhados para que você entre no pleno fluxo. A relação entre mãe e filha é aparentemente mais complicada que entre mãe e filho, porque passa por nuances de competição. A filha quer ao mesmo tempo ser igual e diferente da mãe. E, logicamente, tudo isso pode nunca aparecer ou pode ser motivo de rivalidade, conflito e briga.

Processos em que a filha não se dá bem com a mãe deflagram grandes sentimentos de culpa. Eu mesma passei anos sentindo essa culpa de forma inconsciente, até vivermos em pleno amor e harmonia, só que, ao ver mamãe falecer, a culpa foi ainda mais forte – e dobrou quando papai se casou. Quando eu consegui me libertar, foi o início da real Vida Divina.

Saiba que conflitos e suas consequências, nada disso é deliberado, proposital. Os arroubos de raiva ou egoísmo das meninas são, muitas vezes, vistos com olhos de reprovação pela sociedade. Isso porque, segundo nossa cultura, toda mãe é santa. No entanto, pode acontecer de as filhas acharem a relação com a mãe muito decepcionante, bem longe das suas expectativas, muitas vezes baseada em excessos ou até em insuficiência de amor.

Muitas de nós, ora como filhas, ora como mães, já intuímos de alguma forma que esse conflito é muito profundo. Alguns momentos são pontuados por brigas diárias, discussões. Muitas vezes nenhuma das duas é capaz de dizer onde tudo começou, apenas de assumir intimamente que não era como desejaram. Eu sei isso de cadeira como filha e mãe de meninas. Inconscientemente, eu queria muito curar essa relação por várias gerações, desejei muito ter meninas, e Deus me presenteou com Maria Clara e Serena, ambas estrelas divinas na minha vida.

Aqui estou para lhe trazer reflexão, aceitação e cura na sua vida. Veja que, se isso aconteceu com você e sua mãe, se acolha, se aceite e ame a sua mãe. Assim você contribuirá com a cura nas gerações futuras. Aqui e agora, não importa o que vocês passaram, e sim a reconstrução desse forte laço de amor, sem julgamentos, para que ele seja incondicional, para você seguir firme em frente rumo a sua Vida Divina.

> *"Para toda mulher há sempre três mulheres:*
> *ela menina, sua mãe e a mãe de sua mãe."*
> **D.W. Winnicot, Conversações, Londres, 1987**

Se estamos falando de uma Vida Divina, na qual você pode usufruir do melhor que o Universo tem a oferecer, que tal começar a compreender e reescrever sua história, desde o nascimento? A história que você conta a si mesma, e como carrega na tinta para contá-la aos outros.

A história é só sua. Você pode fazer dela um conto de fadas, ou um hino de lamentação. Uma coisa é certa: se a sua intenção é fazer um novo destino, trate de aceitar, acolher e amar as suas raízes como são.

Fruto bom só cresce quando tem raiz firmada na terra e nutrida corretamente. Lembre-se disso.

"As coisas do céu não podem ser atingidas pela perseverança; elas são uma graça de Deus. Abrir-se para isso e confiar é o modo pelo qual a crença é cristalizada pela fé. Não podemos pagar por ela de nenhuma maneira, de modo algum, com nossa bondade, com nossa piedade, com nossas grandes qualidades, méritos ou virtudes; com nada. Ela é um dom, e tudo que podemos fazer é recebê-lo"

Hazrat Inayat Khan

NOVOS DESAFIOS

A notícia sobre a morte da minha mãe abalou toda a estrutura do meu ser. Era como se eu perdesse o fio condutor que nos carrega pela vida. Sem chão, senti que voltara a ser criança e precisava ser carregada no colo. Ela tinha apenas 53 anos quando partiu, e eu me sentia órfã com trinta e poucos.

Dois meses antes de morrer, mamãe quis inesperadamente dividir os bens dela em vida. Todo mundo achou estranho, mas ela insistia para que aquilo fosse feito. Talvez influência do sofrimento pela morte da sua irmã, minha amada tia Angela. A sabedoria de mamãe era tamanha que ela criava um ambiente perfeito para que ninguém ficasse descuidado.

A grande dúvida era quem ficaria com a área que contemplava a casa grande, que era onde eles moravam, e tinha a granja, o haras. Meu pai perguntou se colocaria tudo na mesma terra, e eu interrompi.

– A gente realmente precisa dividir isso? Sinceramente, tô achando esse papo nada a ver, nem queria estar aqui conversando isso de bens materiais, pois estamos vivendo o luto da minha tia ainda. Mas um dia que não estiver nem o senhor, nem a mamãe aqui na Terra, eu queria que toda a família se reunisse aqui, então penso que não precisamos dividir nada aqui nesta parte da "Rocilda".

Aquela era a parte original da antiga Fazenda Primavera, que tinha sido sonhada pela minha mãe quando ainda éramos crianças. Não era justo que pensássemos em desmembrá-la. Ela era feita de sonhos. Daqueles que não se compra em qualquer esquina.

Me lembro que nesse dia todo mundo me olhou de um jeito diferente, e continuei:

– Eu quero entrar aqui e sentir vocês.

Naquela época, nem nos piores pesadelos pensaria que minha mãe partiria dois meses depois. Mas quando acabamos aquela reunião em família e ela se viu a sós comigo, me pegou pela blusa. Estava com a face corada, e parecia nervosa:

– Você não deveria ter feito isso!! – ela vociferou.

Minha respiração parou. Não entendia o porquê daquela raiva.

– Por quê? Você acha que deveria ficar com uma pessoa?

Sem piscar os olhos, ela me encarou e disse, num tom mais baixo que o esperado:

– Se eu morrer, seu pai vai casar logo e trazer outra mulher pra dentro dessa casa.

Soltei a mão dela da minha blusa e me afastei. Aquela não parecia uma ideia coerente.

– Mãe, pare com isso, não seja louca. Você tem muitos anos pela frente, não vai morrer por agora, e se acontecer um negócio desses, meu pai não vai se casar novamente, vocês são um casal lindo, perfeito, e não dá para substituir esse amor.

Mais uma vez ela me encarou com certeza no olhar, e tive a impressão de que ela estava tendo alguma visão. Mesmo assim, me fiz de desentendida.

– Anote o que estou dizendo: se eu morrer, na semana seguinte vai estar cheio de mulher aqui rondando seu pai.

Aquela conversa ecoava na minha mente enquanto eu recebia a informação acerca de sua morte. E como ela previa, cinco dias depois, quando entrei no salão de cabeleireiro da cidade, a conversa das mulheres girava em torno do viúvo da cidade.

Voltei para casa, e o telefone não parava. Mulheres oferecendo bolo e colo para consolar meu pai surgiam de todos os lados. Ele nem mesmo atendia o telefone, se sentindo agredido por tanto desrespeito ao seu luto e à nossa família. Naquele momento, além do desafio da dor da perda, eu carregava a minha segunda filha no colo, Serena, que ali tinha quatro meses. E mesmo que o nome dela trouxesse a calma que eu desejava ter, a verdade é que eu tentava ligar os pontos no meio daquela tempestade.

Lembrava-me dos olhos cheios de vida da minha mãe, profetizando que teríamos a Fazenda Primavera, quando eu ainda era criança. Dos seis anos que se seguiram até que eu completasse dezessete e eles finalmente conquistassem aquele sonho. Sentia o cheiro dos livros que ela carregava com ela enquanto estudava teologia e filosofia e seu sorriso quando me apoiava.

Naquela altura da vida, eu já tinha feito muita coisa, trabalhado como vendedora ambulante, lavadora de carros, na cantina da escola, vendendo bolos, como maquiadora em salão de beleza, pesquisadora, vendedora de cosméticos, até me apaixonar pelo desenvolvimento humano, onde comecei como analista de cargos e salários e implementei o RH da empresa do meu pai e seus três sócios, que já contava com um quadro grande de funcionários.

Mas naquele momento aquele sucesso profissional não significava absolutamente nada diante do vazio que a ausência da minha mãe provocava em nossas vidas. Era um período em que eu estava no cargo de executiva de RH, mas não tinha mais o controle de nada no meu interior. A vida escapava pelos dedos.

Diante da morte, revemos a importância dos sonhos, e o impacto daquela notícia era tão grande que eu temia afundar, mesmo sabendo que mamãe estava em algum lugar e continuaria guiando minha jornada.

Eu tinha tudo, mas não tinha quem eu mais amava.

Nesse novo cenário, eu e meus irmãos passamos a ser acionistas daquela empresa, junto com o grupo de fundadores. O fato de minha mãe falecer muito nova, aos 53 anos, me fez compreender a importância de realizar os nossos sonhos e viver cada um deles, valorizando cada instante como único.

Fossem sonhos grandes como o de mamãe, que vislumbrava possibilidades na estrada quando observávamos terrenos alheios e dizia que seriam nossos, fossem estratégicos, como realizar a minha missão de alma. Eu sabia ganhar dinheiro, gerar valor, mas ainda não era realmente próspera.

Quando finalmente achei que estava no caminho certo, decidi levar meu pai e irmão para um curso de formação em *coaching*. Acreditei que seria interessante ele dar uma guinada na vida, vencer a dor e ter resultados ainda mais rápidos e com menos sofrimento. Ali tinha três meses que mamãe havia deixado este plano, só que, logo que ele fez a Roda da Vida, na qual se observam todos os aspectos da vida, ele percebeu que o quadrante do Relacionamento estava absolutamente zerado.

Ele percebeu que precisava fazer alguma coisa, e tomou uma decisão: iria casar-se com a minha tia, irmã da minha mãe.

Aquela notícia caiu como uma bomba na minha cabeça. Fiquei consternada e fui absolutamente contra aquela união, naquele momento, mesmo amando minha tia quase como uma mãe.

Lembrava nossas conversas quando eu dizia "Tia, Deus há de arranjar um homem bom para a senhora que nem meu pai sempre foi para minha mãe", mas jamais imaginaria que meu próprio pai seria esse homem com quem ela se casaria.

Foi aí que meu pai fez o pedido, e todos concordaram. Nesse período vi a revolta brotar no meu peito e me vi atada, precisando digerir logo aquela situação. Sem saber, bloqueava minha prosperidade em todos os níveis, me opondo ao livre-arbítrio do meu pai. Mas não havia quem me convencesse de que aquela era uma solução.

– Papai, vocês podem namorar, se conhecer melhor nesse novo papel..., mas casar assim?

No fundo o meu medo era que, se não desse certo, por não terem um convívio, eu precisasse passar pela dor de ver meu pai e tia se separando e tudo que poderia vir daquela decisão, que no meu julgamento era precipitada.

Ele estava irredutível. Com a decisão tomada, me vi diante do altar casando meu pai, exatos seis meses após enterrar minha mãe.

Conforme saí da igreja, mesmo sem perceber virei as costas para ele. Cheguei a querer largar a empresa, como retaliação. Não queria nada dele. Vivia pensando em como minha mãe estaria lá no céu, com aquilo tudo acontecendo em nossas vidas.

Mesmo diante das minhas atitudes intempestivas, ele dizia que eu precisava entender a felicidade do outro e aceitar. Enquanto isso, eu respirava fundo e só conseguia pensar em afastá-lo de mim, e inclusive da convivência com minhas filhas, afinal, todos somos frutos oriundos do amor de Maria e José.

– Você jogou a família que teve com a minha mãe no lixo – cheguei a dizer, num momento de raiva.

Foi quando comecei a olhar para um outro horizonte. Eu já tinha uma ideia de que poderia continuar a trabalhar com desenvolvimento pessoal, mas não imaginava que a minha vida poderia tomar um novo rumo.

Foi nesse momento que decidi focar em viver meus sonhos, um a um, e ampliar o impacto positivo que promovia nas pessoas, além das fronteiras da empresa familiar. Por um instante passei a investir meu tempo livre, que eram as noites, madrugadas e finais de semana, em uma carreira paralela, simplesmente para dar as costas para o meu pai. Foi uma tentativa frustrada de criar a minha "ilha da alegria", que hoje vejo que não teria como não afundar se tinha como motivos a dor, a raiva e a separação. Só que aos poucos comecei a caminhar lado a lado com ele novamente e a aprender, além de aceitar, a admirar a relação do meu pai com minha amada "Tiadrasta". Mas não foi exatamente nesse momento que nasceu a Academia Vida Divina.

Antes eu iria usar todo o meu conhecimento em desenvolvimento pessoal, *coaching*, neurociência, física quântica e neurolinguística para desenvolver um método e um programa que promoviam a mudança externa em mulheres, mais necessariamente na figura que elas viam diante do espelho. Eu ingressava no universo do emagrecimento. Como *coach* de emagrecimento, tinha sucesso que ia além da transformação do corpo daquelas mulheres: na conquista do corpo esperado, elas faziam mudanças que provocavam transformações drásticas em suas vidas. Era o resgate da autoestima, novas relações com elas, aumento do autoamor e melhor relação com o mundo, assim como um jeito novo de pensar.

Eu estava lado a lado com mulheres que vestiam manequim 46 e encontravam um novo jeito de viver, chegando ao sonhado manequim 38. Mulheres que sofriam com doenças como a fibromialgia e fumavam com ansiedade e simplesmente mudavam hábitos e largavam o cigarro. Eu presenciava transformações tão profundas que mapeava os comportamentos que guiavam as pessoas em geral e via um padrão: gente de sucesso tinha persistência, imaginação, empatia, superava os desafios e tinha a capacidade de se reerguer em momentos de frustração.

Ao mesmo tempo eu participava de uma mentoria com a Dani, na qual havia investido muito dinheiro. Era uma grana que nem tínhamos na época, mas eu confiava que geraria resultados. Me lembro do meu marido perguntando se eu realmente ia raspar o tacho da conta bancária naquele momento, e eu dizendo que dinheiro era para ser usado para crescer. Sem saber, eu entrava na corrente da prosperidade.

Enquanto circulava pelo meio de *coaches*, ouvia as pessoas perguntando com curiosidade como eu conseguia falar de coisas materiais com tanta leveza. Uns diziam que as pessoas que se intitulavam espiritualizadas não falavam de dinheiro, e eu abordava todos os assuntos, sempre no salto quinze, sem perder a pose, a humildade e a alta vibração.

Até que fui parar numa mentoria de um cara que parecia ter o toque de Midas nos negócios dos empreendedores. O nome dele é Sandro San. Logo que fui aceita, tivemos a primeira conversa, na qual ele perguntou:

– O que você faz?

Eu fazia muita coisa. A resposta para aquela pergunta não era tão simples. Minha trajetória era composta de tantos cursos que eu precisava contar a minha trajetória para ele entender aonde eu tinha chegado. Disse que era zootecnista de formação, mas apaixonada por gente, por energia, por palestras. Criar era um alimento para a minha alma, e eu fazia tudo com arte. Desde a criação de peças de teatro para os colaboradores da empresa, até a produção do meu próprio conteúdo.

– Me fala dos resultados – foi a sua pergunta depois de se mostrar surpreso com o fato de que eu fazia peças de teatro na empresa, era responsável por responsabilidade social e já tinha feito muitas outras coisas.

– Trabalhei com emagrecimento e vejo diferencial de trabalhar com física quântica, mas física quântica é o meio, e sei que as pessoas compram o fim – comecei, antes de explicar que as mulheres faziam transformações profundas com o processo de emagrecimento. Mencionei que estava trabalhando como mentora de *coaches* também porque os *coaches* me procuravam para saber como eu fazia o que eu fazia e obtinha excelentes resultados para os clientes, e assim vinha esse reflexo abundante para o meu caixa. Ele começou a perceber que a prosperidade era recorrente nos meus negócios.

– Sabe... – começou, como se estivesse tentando encontrar um jeito certo de me dizer aquilo – hoje temos muitas pessoas trabalhando como *coaches* financeiros. Mas não tem ninguém bem posicionado trabalhando com prosperidade para mulheres e explicitamente tocando no âmbito material, que é a riqueza com essa conexão com a espiritualidade. Percebo e sinto que você faz isso com maestria.

Começamos a conversar sobre as minhas memórias com dinheiro, minha trajetória, e ele constatou:

– Até seu nome... Rafaela Generoso. Uma das grandes bases da prosperidade e riqueza é a generosidade.

Ali veio para mim aquele estalo: verdade! Generosidade e caridade, o equilíbrio da roda da prosperidade, o equilíbrio de dar e receber.

– Deve ser um sinal que Deus mandou para eu lembrar... – retruquei.

Então ele continuou:

– Pare de estudar um milhão de coisas. O que você realmente quer entregar para as pessoas?

Me lembrei de que aquela resposta já estava escrita na minha missão de vida. Não foi difícil resgatá-la:

– Eu quero que todas as pessoas possam verdadeiramente viver o seu Céu na Terra, porque eu acredito que o Céu também é aqui. Não tem que viver esperando um dia ter as coisas lá em cima. Acredito que todas as pessoas podem viver um Céu na Terra. Uma vida próspera, uma vida abundante, uma vida feliz, alegre, saudável, recheada de amor incondicional a todo próximo. A minha missão é ajudar as pessoas a conseguirem isso.

Em uma fração de segundos, deu um *insight*: eu conseguia ajudar as pessoas de forma integral, eu queria entregar aquele Céu na Terra e estava em vias de viver aquela realidade na minha vida mesmo depois de tantos desafios.

Estava com a vida afetiva mais organizada, com saúde, já começávamos a construir a nossa casa dos sonhos – mesmo depois de ter tido uma briga daquelas com meu marido, que tinha tido a ideia de comprar o lote no lugar mais caro da cidade uma semana depois do falecimento da minha mãe –, e me sentia contemplada com tantos conhecimentos que me faziam ter alta performance no trabalho.

Para todo mundo, eu já vivia uma vida próspera, uma vida de executiva, e aquilo que o Sandro falava parecia ter total sentido. Eu tentava não julgar, mas não conseguia entender as pessoas que não faziam o que amavam porque pensavam o tempo todo em trabalhar pelo dinheiro, mesmo sendo infelizes na maior parte do tempo.

Nesse processo de descoberta, fui confirmando o quanto a espiritualidade e a prosperidade caminhavam juntas. Vivi isso na minha família por meio de meus pais. Eu queria ver mulheres prósperas, com dinheiro, saúde, relacionamentos incríveis, trabalhos que amassem, prazer e contribuição.

Então comecei a estudar obsessivamente o que fazia com que a prosperidade chegasse às pessoas com relativo sucesso em todas as áreas da vida, e encontrava mecanismos em comum. Ao mesmo tempo, porém, também via pessoas que conseguiam resultados expressivos em determinado momento, mas logo depois perdiam tudo ou não mantinham consistência nos resultados.

Foi aí que entendi que existiam bloqueios, travas à prosperidade. Pesquisando e trabalhando, descobri as 129 travas da prosperidade que impediam que as pessoas conquistassem a Vida Divina. Ao mesmo tempo, descobri leis universais que traziam abundância.

Em pouco tempo, decidi que era hora de retribuir ao Universo tudo aquilo que tinha aprendido e parecia estar tão conectado com a minha missão de alma. Procurei parceiros para o negócio e decidi que queria trabalhar com pessoas de alto nível espiritual, com potencial de gerar alto valor para seus clientes e negócios e que estivessem dispostas a criar o estilo de vida que elas sonharam ser o Céu na Terra, a Vida Divina.

Comecei a criar meu trabalho com amor, alinhada com a minha essência e conectada com as pessoas que estavam, de fato, precisando de mudanças que não fossem superficiais em suas vidas. Ao mesmo tempo, comprovava uma das coisas mais poderosas de todos os tempos, que minha mãe sabia desde o princípio e os gurus do mundo todo, até os multimilionários, aplicavam em suas vidas: o poder da simplicidade.

A simplicidade passava a ser o máximo da sofisticação, e, quando eu me concentrava em fazer algo simples e puro, aliviava o estresse e ficava mais alinhada, produtiva, alegre e focada no estado de *flow*. Conforme eu ia vendo resultados das minhas mentoradas, meu estado de gratidão aumentava, e a minha prosperidade correspondia.

Era incrível perceber, tanto na minha vida quanto nos relatos, que a imunidade melhorava, os relacionamentos ficavam mais humanizados e eu desenvolvia a capacidade de inspirar e impactar as pessoas sem dizer uma só palavra.

No entanto, as coisas só engrenaram de verdade, e meu negócio escalou, quando entendi e aceitei a nova história do meu pai e consegui compreender, acolher, aceitar e amar incondicionalmente as escolhas que ele tinha feito para a vida dele. Eu já sabia que a chave da cura da vida também estava na relação com os pais, e aquela era a primeira providência a tomar dentro do meu coração, para abrir meus caminhos materiais e espirituais.

Não que ele precisasse do meu perdão para seguir adiante, mas eu já tinha aprendido que reconhecer e cumprir nossas tarefas sobre o perdão economiza "milhares de anos" no processo de desenvolvimento espiritual. Afinal, transcendia o perdão, pois é o amor incondicional vibrando agora em toda a plenitude do meu ser.

Eu tinha encontrado uma chave cravejada de diamantes para abrir uma caixa de Pandora. Eu sabia que todo mundo tinha aquela chave. Era hora de ensinar como usá-la.

"Você ouviu que a verdade o libertará. Isso é verdadeiro, mas ninguém lhe diz o que é a verdade. Você ouviu que o Reino do Céu está dentro de você. Isso também é verdade, mas ninguém lhe diz como chegar lá. Se alguém o fizesse, você ouviria? Você pode levar um ser humano à água, mas não pode fazê-lo beber. Nós vamos virá-lo para a água, mas você só vai bebê-la se estiver pronto para uma espiritualidade que, como a verdade, não é deste universo"

"Você pode escolher viver com medo ou com amor. Há sempre duas possibilidades! Quem escolhe o amor vive com mais saúde. Mas quem escolhe o mundo escuro do medo tem muito mais problemas"

Bruce H. Lipton, a Biologia das Crenças

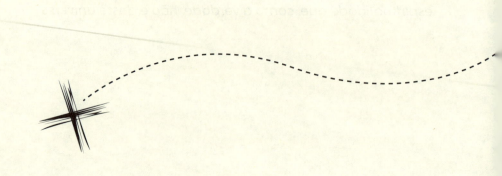

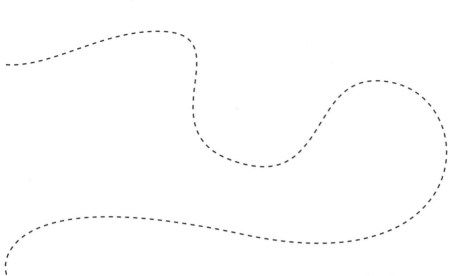

MONTANHA-RUSSA

João e Edir eram os meus avós maternos. Vovó Edir sempre foi daquelas que tinha poder de escolha sobre a vida e logo dispensou um noivado arranjado para namorar com o vovô, por quem se apaixonou à primeira vista. Ele era enfermeiro de um hospital da região, tinha aprendido tudo na prática, sem estudar, com os médicos do hospital, e era tão bom no que fazia que conseguia pegar veia na cabeça de bebê.

Logo que ela conheceu meu avô, ficou encantada com toda aquela simplicidade e, mesmo sabendo que ele não tinha recursos financeiros, deu as costas para o que a família dizia e casou-se com ele.

Meu avô sentia que, para ser aceito pela família dela para casar, precisava ser rico ou pelo menos dar um lar digno daquela linda mulher dos olhos de esmeralda e sorriso de fada. Ela era filha do fazendeiro Aristides, e não daria para morar no quartinho do hospital. Casar-se com ela era a única coisa que ele sabia.

Vovô João teve uma infância muito difícil; seu pai morreu quando ele era apenas uma criança. Sua mãe, a minha bisa Rosa, casou-se de novo e de novo, e ele fugiu, mudou de sobrenome e chegou até a pedir comida nas casas. Virou adolescente e um lindo e bom homem. Ficou conhecido em Viçosa pela competência e bondade como o famoso João Enfermeiro. Seu desejo de casar com aquela princesa era tão forte que ele ganhou duas vezes na loteria. Com o dinheiro, compraram casa, carro, telefone, e passaram a viver uma vida mais confortável.

Só que, ao longo do tempo, por inexperiência em lidar com tanto dinheiro, e muito mais por travas inconscientes e aquelas enchentes, ele acabou perdendo tudo. Estou contando esta história de minha vida para ilustrar por que você deve conhecer alguém assim: que tem desejos fortes, conquista aquilo que quer, mas depois não consegue manter aquela energia e volta a vibrar com a mente escassa, mesmo sendo uma pessoa maravilhosamente boa.

Hoje atendo mulheres com certo nível de prosperidade, mas que vivem como se estivessem numa montanha-russa. São altos e baixos constantes que exigem tanta energia que elas se perdem no processo e não conseguem alavancar suas vidas.

Nas conversas, acabo entendendo aquilo que elas fazem de melhor. Geralmente têm muita habilidade de pensar em negócios, criar; no entanto, se perdem com expectativas. Muitas delas acabam preenchendo vazios emocionais ou crises de ansiedade com comida, e se tornam obesas. Algumas são reféns de vícios que foram resultados de hábitos repetidos ao longo de anos.

No curso que dou na Academia Vida Divina, embora cada uma caminhe no seu ritmo, ao entrar no curso, um dos maiores desafios que enfrentam é conseguir sair do racional e ir para o campo do "sentir".

O que meu avô e minhas alunas, ao ingressarem na Academia Vida Divina, têm em comum é que desconhecem na prática que a espiritualidade, assim como a prosperidade, são um fluxo, e, se você não estiver altamente próspera financeiramente, é um sinal de que não está tão altamente espiritualizada como pensa que está.

Imagino que essa notícia deve ter reverberado aí no fundo da sua alma, e preciso ser bem direta e honesta com você. Aliás, provavelmente você já deve ter percebido que a prosperidade e o sucesso inspiram muito mais do que a vida limitada de recursos materiais que está ligada à escassez.

Muitas pessoas, aprisionadas pelos conceitos deturpados que foram pregados por diversas religiões, trazem um inconsciente que luta contra a riqueza constantemente. Por isso eu pergunto: você acredita que sendo pobre, ou classe média, vai inspirar mais pessoas? Aqui não estou falando que há problema em ser pobre, ou que ser pobre a faz menor, ou ruim, e sim que também está tudo bem ser rica, e que o dinheiro vai potencializar quem você já é.

Você sabia que o sucesso inspira muito mais e gera impacto positivo no mundo? Que com riqueza e abundância você pode ser um instrumento divino para tocar mais pessoas com seu discurso e sua presença?

Só que a maioria das pessoas vive com este eterno conflito: quer ter uma vida próspera, mas cria travas que fazem com que a prosperidade não chegue a suas vidas. É como aquele exercício que fazemos na academia em que o professor coloca um elástico na cintura do aluno para segurá-lo enquanto ele tenta puxar. Evidentemente, por maior que seja a força aplicada no exercício, a pessoa não sai do lugar.

Isto que fazemos com nossas vidas: muitas de nós estão sonhando com uma realidade, mas presas em outra, fazendo o contrário do que deveria ser feito. Dessa forma, não pensamos, vibramos, sentimos ou criamos a realidade que queremos.

Ter uma mentalidade próspera para ser a pessoa que se torna um ícone de transformação, vivendo uma Vida Divina, pode parecer um sonho ou uma utopia, mas não é.

É claro que, ao longo da nossa trajetória, enfrentaremos campos de batalha que vão testar nossos desejos e coragens, travaremos lutas diárias com nossas dúvidas e medos e veremos problemas insistirem em nos derrubar, mas, assim que entendemos o processo, passamos a surfar na onda, em vez de sermos derrubados por ela.

Você viu, nos capítulos anteriores, quantos desafios enfrentei em minha vida – e acredite, enfrento até hoje. Mas é nesse universo vasto de experiências chamado "vida" que temos como derrubar as barreiras de nossas crenças, exercitar a coragem e atacar o conforto de uma vida "normal".

Ter uma Vida Divina é um direito que nos é concedido a partir do nosso nascimento, independentemente das condições em que nascemos. E essa vida não é inatingível. Mas a maioria das pessoas geralmente está ocupada demais vivendo dias exaustivos.

Quantas pessoas que você conhece não se arrastam por semanas esperando pelo final de semana? Quantas não tiram a cara da frente do computador ou do celular acreditando que um trabalho intenso as fará construir um império, gastando energia desordenadamente, perdendo saúde ou momentos com a família?

Quantas chegam a ir a palestras e cursos, mas, quando voltam para o dia a dia, continuam sendo consumidas por hábitos que invariavelmente não as levarão a nenhum lugar?

A verdade é que, se um velho amigo lhe perguntasse hoje "Como vai, tudo bem?", você talvez não respondesse honestamente. Ou será que consegue hoje dizer "tudo muito bem, tudo ótimo"?

Muitas pessoas jamais experimentaram o "estar bem" e acreditam que "não estar bem" é relacionado à saúde. O que eu gostaria neste livro é que você, de uma vez por todas, entendesse o que é uma Vida Divina, que inclui bem-estar e prosperidade em todos os campos da sua vida – corpo, mente e alma.

Ter uma Vida Divina é estar operando no seu melhor, sentindo-se como se estivesse no auge da vida, cheia de energia, vitalidade e criatividade. É como se uma calorosa sensação de paz inundasse seu ser.

A questão é que se sentir "normal" é diferente de se sentir "bem".

Mas vou contar uma coisinha para você entender que certos processos são necessários em sua vida: enquanto você não abre a ostra, não vê a pérola. Também podemos comparar à cebola, já que faz parte do nosso dia a dia e fica mais simples para visualizarmos: imagine que, para aprofundar-se em autoconhecimento, desvendando seu eu, e descobrir a essência do seu ser, existem algumas etapas pelas quais cada um de nós passa no seu próprio tempo.

Eu, você, seus amigos, todos atravessaremos as próprias camadas para chegar à essência do próprio centro divino. Quando nascemos, somos puros, feitos de Centelha Divina, como anjos. Mas as crenças, a vida e o crescimento vão nos fazendo criar camadas que encobrem nossa essência. São equívocos, falsas imagens, negatividades, ilusões, fingimentos, defesas, sentimentos não experimentados, pensamentos confusos.

Sabia que tudo isso é fruto do nosso ego? Essa crosta, espessa, quase impenetrável, nos distancia do nosso eu interior que é o núcleo de poder onde residem todos os segredos para a prosperidade e a Vida Divina.

Só que – olha só que coisa engraçada – enquanto estamos encobertos com essas camadas todas e não conseguimos penetrar nesse núcleo, não acessamos os segredos para a nossa prosperidade.

Esse é o desafio para não viver a montanha-russa que muitos acreditam ser normal em suas vidas, com momentos de tédio, raiva, emoções relacionadas ao fracasso, à escassez, que geram mais sentimentos e pensamentos que não deixam a engrenagem rodar para a prosperidade em todos os níveis.

As travas da riqueza e da prosperidade nos impedem de fluir nesse processo que deveria ser como uma dança com a vida. Fluida, leve e sem cargas mentais.

Se temos a imagem do Céu como um reino da alegria, leveza, felicidade, amor incondicional, riso e beleza, temos que entender que nós também nascemos com a potencialidade para criar luz: velocidade, brilho, poder de cura e capacidade infinita de criar a realidade que queremos na Terra.

Ser mais feliz na Terra é uma questão de escolha. O estado natural da vida é ter alegria, felicidade, riso e beleza, qualidades do Céu que imaginamos. O Céu é a origem pura dos milagres, onde o amor existe como energia curativa pura e incondicional e os seres humanos são como uma espécie protegida dotada de livre-arbítrio.

Temos liberdade de escolha, e isso implica que podemos escolher qualquer caminho espiritual ou não espiritual. Altos e baixos são exatamente isto: os reflexos de tais escolhas – as espirituais ou as não espirituais. Os seres humanos são altamente influenciados por muitos ciclos, biorritmos, ondas de energia, estações do ano, movimentos astrológicos e assim por diante.

Claro que é natural termos uns dias que são bons e outros que não são tão bons assim, mas nossas escolhas podem ajudar a direcionar os dias de "baixa energética" para um lado mais leve. O livre-arbítrio nos torna capazes de escolher e transcender os pontos baixos das nossas vidas.

A autora de livros para crescimento espiritual Samara Roman explica que escolhemos a faixa de intensidade de nossas emoções. "Alguns de vocês escolheram uma faixa muito ampla, da imensa dor à grande alegria. Alguns escolheram faixas mais estreitas, preferindo trabalhar com níveis sutis, tais como alegria moderada a infelicidade moderada. Por viver numa polaridade, para cada emoção positiva que você tem terá também a sua oposta. A calma emocional vem de encontrar o ponto de equilíbrio, levando todas as suas emoções à harmonia com seu eu superior", ela explica.

Viver uma Vida Divina é ter acesso a experiências de liberdade e alegria sem pagar com a vivência oposta: o desespero. Podemos viver a leveza de dias inspiradores 24 horas por dia. Felicidade incondicional é nosso destino.

Sabendo disso, fica mais fácil perceber como é necessário entrar em contato com todas as camadas, assimilar e dissolver aos poucos os bloqueios acumulados, né? Conforme vamos tirando as cascas, vamos descobrindo outros níveis – e isso quer dizer que, para que nosso autoconhecimento seja completo, outras tarefas nos aguardarão constantemente.

Esta é uma condição prévia e indispensável para a unificação desse poderoso núcleo. Plantar a semente de uma vida melhor para vivermos um dia melhor que o outro e nos desenvolvermos, criando estados de realização, alcançando a paz interior, amor verdadeiro, prosperidade e felicidade. Dessa forma, contribuímos para um mundo melhor e mergulhamos na profundeza do nosso ser.

Tenho certeza de que, se usarmos nosso livre-arbítrio para sermos felizes, a vida ficará muito mais fácil, criativa e cheia de humor. Se queremos criar felicidade na Terra, isso significa que precisamos aprender meios de confiar na abundância de um Deus que é mais do que suficiente, então teremos mais do que suficiente até mesmo pra distribuir, o que nos traz ainda mais.

Experimentar a Vida Divina é ter acesso à sua força. É saber que se está protegido, é poder permanecer em paz no meio do caos, é fazer a vida valer a pena ao mesmo tempo em que nos tornamos a melhor versão de nós mesmos.

Talvez você não tenha percebido, mas existem três tipos de pessoas no mundo. Há as pessoas do tipo "criança", que são o que eu chamo de "zerinho de densidade de personalidade". Ou seja, são despertas, criadoras conscientes de suas realidades, estão sempre alinhadas e sabem manifestar, materializar metas e sonhos, utilizando as leis universais, o amor incondicional, que são princípios da física vibracional, e vivem uma vida de plenitude, prosperidade e abundância.

O segundo tipo são os "leões". As leoas, no caso, se sentem as rainhas da selva, sabem o que querem e o que não querem; ainda assim estão na margem da boa personalidade, atuando com a máscara do ego sutilizado. Elas pensam que são despertas, e são criadoras de sua realidade de forma inconsciente, utilizando parcialmente alguns conhecimentos, como lei da atração, vibração e outros, e, por estarem desalinhadas, com obstrução em algum nível, não conseguem utilizar seu potencial máximo.

O terceiro tipo vive totalmente indiferente a tais conceitos, e chamo essas pessoas de "camelos", porque elas carregam fardos de maneira incompreensível, são cheias de crenças, condicionamentos, andam pelo deserto em procura de um oásis e vivem o efeito manada, seguindo a banda tocar, apenas sobrevivendo. São pessoas que podem estar na boa personalidade ou na má personalidade. Não criam a realidade que desejam porque nem sabem que isso é possível, e muitas ainda debocham daqueles que falam desse tipo de assunto.

Esse terceiro tipo não aceita ser ajudado ou desperto e cria obstruções no caminho da prosperidade.

Observando os três tipos acima, qual deles mais se assemelha com você? Em qual deles se encaixa agora?

Lembre-se: mesmo que você conheça a Lei da Atração e as leis universais, pode ser que não as esteja aproveitando ao máximo.

Nos próximos capítulos, vou ensinar a entender como o bloqueio da prosperidade gera escassez e baixo padrão vibracional em hertz. Assim, você terá uma atração magnética correspondente que irá atrair para você aquilo que deseja, por ressonância magnética.

Quando desbloqueei a minha prosperidade, descobri minha melhor versão, e tenho certeza de que você conseguirá fazer o mesmo, conquistando melhores resultados em sua vida.

Quero que saiba que nascemos para ser o que desejamos, multiplicando talentos e prosperando. No dia em que liberei o fluxo de prosperidade em minha vida, tive uma guinada em todos os sentidos, e os resultados surgiram com velocidade, além de eu conseguir enxergar abundância e prosperidade em todos os níveis.

A vida não precisa ser uma montanha-russa. A vida pode ter a mesma emoção se você viver uma Vida Divina. Sempre no topo.

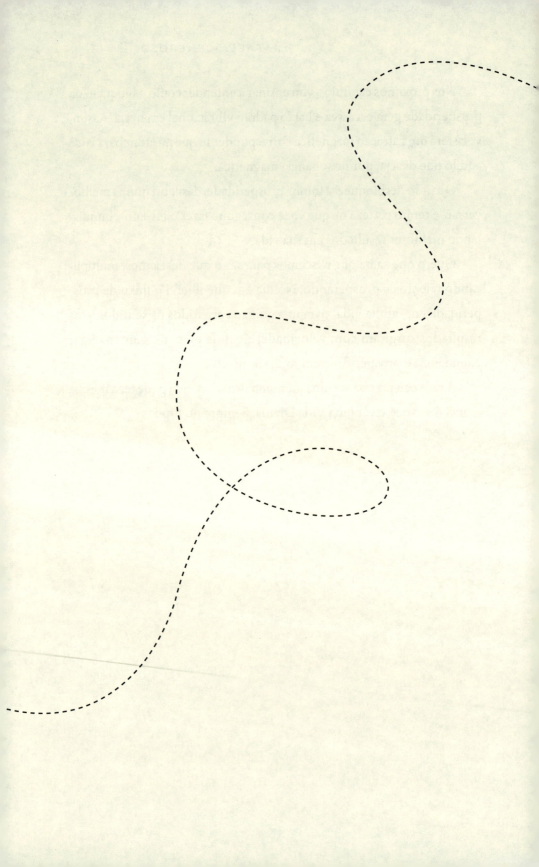

A REVOLUÇÃO NECESSÁRIA: VIDA DIVINA NA TERRA

"Força de vontade não é resistir, forçar ou controlar – é escolher"

Penney Peirce

"Rafaela, qual a diferença entre Vida Divina e vida distraída?"

Sempre respondo que Vida Divina é aquela que construímos de acordo com o que sentimos que é verdade, quando somos pautados pela bússola do coração e entendemos, mesmo em silêncio, que estamos conectados com a nossa verdade.

O mundo dos distraídos é feito de pessoas que vivem a vida que os outros programaram para elas. Estão dentro da *matrix* e envoltos em amarras de medo, ilusões, mentiras. Estão no mundo condicionadas a viver de determinada maneira, mesmo que aquilo esteja ferindo sua alma.

Muitos são controlados psíquica e mentalmente pela massa e acabam não olhando para dentro. O resultado é que vivem lutando para manter um *status* que os deixa anestesiados. São pessoas que não conhecem novas formas de viver.

Essas pessoas acabam copiando os outros porque não sabem o que verdadeiramente pulsa dentro delas, o que as faz originais. Presas nessa *matrix*, não vivem a felicidade nem a plenitude, e quando alcançam resultados financeiros satisfatórios, continuam tão pobres que a única coisa que têm é dinheiro.

Quando despertamos para a nossa verdadeira natureza, "fazemos acontecer". Despertamos e criamos realidades inimagináveis. Vou dar um exemplo simples, mas que ilustra o que quero dizer: já trabalhando com prosperidade, em meados de 2018 fiz uma lista de algumas mulheres poderosas e bem-sucedidas que eu pretendia conhecer, afinal, eu já tinha conhecido mulheres maravilhosas e famosas nesse ano, apenas por estar no fluxo.

Entre elas estava a Fátima Bernardes, que aparentemente era inacessível. Pois bem: alguns dias depois que escrevi e joguei para o Universo, recebi um convite para ir ao Rio de Janeiro de maneira inesperada, e em seguida, outro convite, para participar do programa dela. Quando me dei conta, estava lado a lado com a mulher que conquistou o Brasil após assumir um programa que tem a sua cara. Depois de viver por anos como âncora no jornal, junto ao seu ex-marido, no qual ela não brilhava metade do que brilha hoje, está com um namorado que a rejuvenesceu alguns anos, pois ela tomou seu poder interior, e hoje é nítido que ela se banca em essência, sendo a sua melhor versão.

A Fátima se tornou um dos ícones das mulheres bem resolvidas, prósperas, com a vida afetiva maravilhosa, saúde como jamais teve e um trabalho que está congruente com sua alma. Assim que tiramos uma foto juntas, me lembrei da tal lista que tinha feito dias antes e sorri para o Universo.

Temos um potencial infinito de criação de realidades que não usamos para o bem. Pode perceber: na maior parte do seu tempo, você alimenta seus pensamentos e sentimentos com preocupações acerca de contas a pagar, desafios para solucionar, e apaga incêndios que minam sua energia constantemente, sem pensar no que realmente alimenta seu espírito.

Ao longo da vida, nos deparamos com alguns "progressos" quando começamos a compreender a tal Lei da Atração – na esteira do sucesso do filme *O Segredo*. Muita gente começou a "imaginar" a tal vida dos sonhos sem fazer qualquer mudança interna. Poucos conseguiram transpor as barreiras que separavam do despertar pleno e da sensação real da experiência do "eu expandido", que será o nosso estado normal quando vivermos uma Vida Divina.

A questão é que precisamos compreender que saúde, alegria, gratidão e saúde plena, somadas a relacionamentos equilibrados, amorosos e afetivos, nos deixam no estado de abundância material e financeira. No entanto, se eu focar só na financeira, serei escassa, porque vou crescer passando por cima do outro e esquecer as leis fundamentais do amor.

Não tem como ser próspera se você não está conectada com a espiritualidade e com a sua essência. Sem fé inabalável ou crença num Deus que é uma força maior que nos guia, não somos capazes de viver uma vida próspera.

Todo mundo sabe que existem aquelas pessoas que gostam de sofrer e sabem que gostam. Você já deve ter percebido a competição de desgraças em algumas conversas: enquanto uma se queixa daqui, outra emenda dali que a vida está muito pior.

Essas pessoas nem conseguem perceber que gostam disso e alimentam esse mecanismo de reclamação constante que perturba sua evolução.

Em vez da reclamação, se acionássemos um processo de intuição poderíamos desenvolver uma capacidade de entrar em comunhão com a vida e interagir com as pessoas para que todos pudessem despertar.

Certa vez li uma frase que dizia: não se pergunte do que o mundo precisa; pergunte-se o que faz você despertar. Então vá e acorde, pois o mundo precisa é de gente desperta.

Quando comecei a desenhar o roteiro deste livro, percebi, em uma investigação em todos os meus artigos e vídeos, que sempre acreditei, mesmo quando não trabalhava como mentora de prosperidade, que tínhamos potenciais extraordinários aguardando serem despertos dentro de nós.

Só que veja só que curioso: ao mesmo tempo em que tentamos nos voltar para dentro, para essa transformação, como a da fênix, inovações, fatos, dramas e medos externos parecem nos puxar no sentido contrário. Isso deixa muita gente desorientada, já que essa mudança ou metamorfose implica numa passagem de um estado de energia para outro.

As profecias incas chamavam esse tempo que estamos vivendo agora de "Era do nosso reencontro com nós mesmos".

Essa revolução necessária é urgente para quem quer viver prosperidade na Terra. A maior parte das pessoas não consegue perceber que está num padrão de reclamação, impedindo que a consciência dos próprios pensamentos venha à tona.

Certa vez, quando meu pai passava por um período desses, um *coach* ensinou a ele que colocasse um elástico no pulso e, quando percebesse um pensamento de reclamação, puxasse o elástico para sentir o efeito na pele e quebrar aquele padrão de pensamento.

A consciência é a chave para a mudança de comportamento. Nos capítulos seguintes, você vai aprender as Leis da Prosperidade e como acioná-las em sua vida, vai aprender quais são as travas que impedem que você alcance o que deseja, mas nada disso adiantará se não tiver o domínio dos seus pensamentos.

Vivemos distraídos demais. Uma geração ligada no 220V o tempo todo. Muito trabalho, muito compromisso e muito estresse.

Se você vive num padrão de estresse, é como se algo de ruim fosse acontecer o tempo todo. Assim, o pessimismo e o pavor de que algo ruim aconteça tendem a aumentar. Os sonhos e fantasias tornam-se bastante intensos, e tudo que imaginamos de pior pode acontecer.

Costumo encontrar pessoas que estão constantemente em estado de estresse, ouvindo o que chamo de "mente errada" dentro delas. Explico nos meus cursos que existem a "mente certa" e a "mente errada" dentro de cada um de nós. Alguns gostam de chamar de "*self* 1" e "*self* 2". A nomenclatura pouco importa.

O que quero explicar é que a mente errada quer ter o controle de tudo. Esse é o desafio. Todo mundo que aparece em física quântica e começa a conhecer a teoria tem uma chance muito maior de se perder do que quando não a conhece, porque a pessoa começa a achar que é uma máquina de fazer tudo.

Ao mesmo tempo, quando estamos estressados, a tendência é que ouçamos a "mente errada", e quando fazemos isso, as nossas escolhas são menos assertivas.

Tenho duas filhas, a Maria Clara e a Serena, e um dia a Maria Clara me disse algo que despertou minha atenção: "A vida é um cardápio em que você escolhe algo que nem sabe o que é".

Escolhe e, se chega algo que você não gosta de comer, pode até não comer, cuspir, ou rejeitar o prato, mas uma coisa é inevitável: a conta você vai ter que pagar.

Por isso, muitas pessoas ficam dando voltas, perguntando para os especialistas qual o melhor pedido, ou para o garçom, mas os paladares são variados, os organismos são distintos, e o estômago, diferente. Logo, mesmo que alguém lhe diga que algo possa ser a melhor pedida, aquilo pode não caber no seu estômago ou lhe fazer mal.

Então, você pode me perguntar: Rafaela, como fazer escolhas?

Aí está a chave. Quanto mais conectada consigo mesma você está, melhores são suas escolhas. Se está estressada, perceba que provavelmente não está confiando na vida.

Muitas de nós convivemos com um misto de ansiedade e depressão. Umas pessoas, olhando para trás, lamentando o que já passou; outras, olhando para a frente, esperando um futuro que nunca chega.

O segredo é confiar. Confiar que temos um PAI que cuida de nós. Respirar profundamente, porque, quando respiramos de forma completa e correta, tranquilizamos nossos pensamentos e administramos nosso estresse.

Mais adiante, neste livro, falarei sobre algumas práticas que aprendi e ministro nos meus cursos, tais como *mindfulness*. Se você não é adepta de nada, experimente ao menos a respiração profunda, que oxigena seu cérebro e muda sua mente.

Quando respiramos enchendo o peito, tomamos decisões melhores e nos conectamos com o coração.

Também somos bombardeadas por gurus que surgem na internet e se propõem a nos ensinar o sucesso que nunca experimentaram. Pessoas que mentem resultados, manipulam informações e enganam para vender produtos.

São pessoas presas às falsas ideias de que é preciso mentir ou exagerar para se vender. Logo que se descobrem tais estratégias, os tais vendedores de ilusão criam novas maneiras de fisgar clientes que querem muito resultado com pouco esforço.

Costumo chamar esses clientes que querem usufruir sem muito entregar de "clientes pesadelo", porque consomem 80% da sua energia, representando 20% do seu efetivo.

Pra você ter uma ideia do que estou falando: trabalhei como *coach* de emagrecimento, e, nesse mercado, cada hora surge um novo guru dizendo que pode tomar sorvete, comer chocolate, beber refrigerante... e perder peso, ou que precisa fechar a boca com zíper e não comer nada, e ainda aqueles que cortam toda e qualquer "delicinha gorda" para sempre da vida da pessoa.

Nos negócios, são aqueles que não querem nem pensar em investir ou contratar, não desenvolvem equipes de excelência, muito menos serviços e produtos nesse nível. Estão dispostos ao básico e esperam que a grana caia no colinho deles de mão beijada.

Acredito que, se queremos nos alinhar com nosso fluxo de prosperidade e construir um negócio sólido e duradouro, devemos ter valores éticos e morais no sentido de estarmos presentes com aquilo que estamos dispostos a fazer. Concentrados e com a energia focada naquilo, sem dispersão.

Tenho pavor de constatar que – indo totalmente contra o fluxo da prosperidade – algumas pessoas fazem de tudo para vender mesmo quando sabem que o que estão vendendo não servirá para determinados clientes.

Para termos resultados prósperos no campo das finanças e negócios, precisamos estar atentos, focados e comprometidos com a nossa essência. Quando estamos conectados com a essência e comprometidos, entregamos o máximo de valor para os clientes.

Para vivermos a vida que sempre desejamos e conseguirmos tudo aquilo que merecemos ser ou viver, precisamos parar imediatamente de contar historinhas para nós mesmas sobre o porquê de não precisarmos de dinheiro para ser feliz ou sobre o que ou quem nos atrapalhou.

Está na hora da revolução necessária que vai nos aproximar da Vida Divina e tirar esse misto de pensamentos e sentimentos que nos confundem, relacionados à Vida Divina.

Você precisa começar a acreditar que é possível ganhar dinheiro honestamente, liberando os fluxos da prosperidade, e que você precisa se trabalhar internamente antes de começar a fazer isso.

A prosperidade nada mais é que um fluxo de energia, uma frequência de luz que, quando ancorada, se torna um estado de espírito que se reflete na área financeira, nos relacionamentos e na saúde.

Para ajudá-la a viver a Jornada da Rainha e se tornar a Mulher Divina – que você nasceu pra ser –, é importante que entenda sobre o que é prosperidade, os níveis em que ela se manifesta, e alinhar a sua energia conforme explicarei mais adiante.

Nos capítulos a seguir, vou ensinar como alinhar seu corpo espiritual, mental, emocional e físico, abrindo um fluxo de prosperidade e confiança no curso da vida.

Vou mostrar como experimentar a verdadeira sensação de vibração da alma, porque transformar significa ir além de sua forma. E, para isso, precisamos nos sentir livres, sem limites.

Lembre-se: qualquer momento dado contém futuros ilimitados que podem tornar-se reais. A realidade que ocorre é aquela na qual prestamos atenção. Sempre.

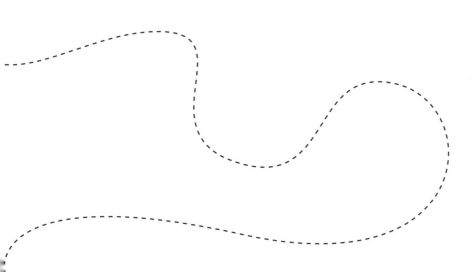

OS QUATRO CORPOS

"Grandes artistas ultrapassam o ego e chegam ao nível mítico, inconsciente, e precisam fazer contato com o centro em si, para que suas criações tenham vitalidade autêntica. Na verdade, todos nós, se quisermos ser espiritualmente inteligentes e tornar nossa vida uma criação de importância vital, teremos de estabelecer contato com o centro"

Danah Zohar, Inteligência Espiritual

Costumo dizer que a instrução na Academia Vida Divina é não deixar ninguém para trás. Sabemos que é fundamental estarmos comprometidos em fazer o melhor para que os clientes possam levar o melhor para seus clientes. Quem está desperto sabe: pessoas despertas sabem que o despertar não permite que deixemos alguém para trás, afinal, somos todos nós, somos todos filhos de um mesmo PAI.

Talvez você esteja se perguntando: "Rafaela, o que seria esse despertar?".

Muitos de nós, ainda inconscientes, acreditam que a vida é puramente material, que somos feitos de carne e osso. Tais pessoas desconsideram o corpo espiritual, o mental, o emocional e o físico. Sem essa consciência, realmente tornam-se de difícil entendimento todos os conceitos que trarei a seguir. Portanto, antes de explicar como trabalhar os quatro corpos para atingir a prosperidade, vou trazer informações referentes aos quatro corpos, cujo funcionamento muitos desconhecem.

Todos sabemos que corpo físico é constituído por esqueleto ósseo, coberto com carne, pele, estruturas nervosas, glândulas, órgãos e sistemas sanguíneos.

Você já deve ter percebido que temos muita coisa em jogo quando falamos de quatro corpos. Vou dar um exemplo simples: se você tem medo de encontrar uma cobra em uma floresta, por exemplo, o que vai acontecer com seu corpo caso esteja em uma floresta e imagine aquele perigo? Seu coração dispara, suas pernas ficam moles e você produz adrenalina.

É nesse momento que acontece a transformação entre mente e matéria. Se você não estivesse com medo, talvez seu corpo não fosse inundado com essa substância. Talvez você já tenha tido um pesadelo, do qual você acorda com a sensação de que aquilo que sonhou foi real. Isso acontece muito comigo, e depois contarei mais sobre esses sonhos.

Portanto, dessa forma você tem uma vaga ideia de como a sua mente lhe dá o controle e a capacidade de ter a reação que você desejar. Por isso um ditado indiano diz que, "para saber como foram seus pensamentos ontem, você precisa olhar para seu corpo hoje. Se quer saber como será seu corpo amanhã, observe os seus pensamentos de hoje".

Se seu corpo mental, físico e emocional estão desalinhados, você vive como se estivesse fora do eixo.

Muitos vivem a vida em total desalinho, e quando alinhamos nossos quatro corpos (emocional, físico, mental e espiritual), somos capazes de promover mudanças em nossas vidas e até mesmo curas que estejam no corpo físico.

Você provavelmente pode ter oscilado da tristeza ao otimismo, para voltar ao seu lar emocional e retornar ao nível mental a que está habituado.

Mas muitos de nós nem sequer são conscientes de que não somos esses pensamentos e sensações que nos envolvem ou dominam. Ou seja, temos o pensamento, não somos o pensamento. Somos muito mais: temos nosso corpo espiritual, que é a emanação de Deus. Se sabemos sair da sintonia de culpar o mundo pelo que não conseguimos, temos condições de nos libertar do sofrimento, da doença, e pautar nossa vida na fé e no conhecimento.

Quanto mais despertas estivermos, menos tensas estaremos, mais flexíveis, felizes, saudáveis e prósperas.

As pessoas se esquecem de que saúde não é estado de não doença, e sim de plenitude, alegria, vivacidade, contemplação. E poucas pessoas percebem que a doença no corpo físico é um sinal que os outros corpos estão dando de que algo não está bem, de que é importante olhar para dentro e voltar a alinhar os quatro corpos e passar a ser mais você em essência.

Hoje temos pessoas que foram a vida toda manipuladas pela cultura do medo, da culpa, da dúvida, e, sempre que tentam se reerguer, são massacradas pelo mundo, que as joga para baixo. Ou melhor, ainda não estão conscientes o suficiente para não permitir que isso ocorra a elas.

Mas entenda: a mente sozinha não faz nada; ela pode inclusive ser "enganada", programada. Ao mesmo tempo, uma pessoa que tem uma alimentação saudável, faz exercícios físicos mas não exercita a mente também não estará em alinhamento, pois pode sucumbir à voz do ego (aquela mente que mente, não o ego do Freud).

Quando falamos do ser humano em termos mais complexos, sem lidar apenas com o corpo físico, entendemos que devemos observar os quatro corpos constantemente para compreendermos as mensagens que nossa essência nos manda.

Por exemplo: como você alimenta seu corpo emocional? Será que está alimentando com filmes de terror, violência, ódio, pensamentos ruins, inveja, pensamentos de inferioridade, ou o alimenta com impressões mais nobres? É indispensável que façamos uma verdadeira alquimia para que possamos transmutar isso tudo e transformar os pensamentos e as emoções em autênticos sentimentos de amor. Agora, saiba que isso só é possível quando abrimos mão da fofoca no convívio familiar, daquela intriga que alimentamos no dia a dia ou do sentimento de sermos vítimas da vida.

Temos potencialidades e capacidades desconhecidas, e hoje, enquanto muitos dão muita importância a um dos quatro corpos, deixam os outros em desequilíbrio, e a prosperidade não flui.

É incrível desenvolver a capacidade mental, por exemplo, mas cultivar apenas as forças da mente com o modismo do "pensamento positivo" não tem muita serventia quando falamos de prosperidade. Se queremos alcançar outro patamar, magnetizar as pessoas ao nosso redor, encantar com a nossa presença, ter brilhantismo nas ideias, efetivamente estar conscientes e trabalhar para um bem maior, assim como ter os chacras desobstruídos, corpo harmônico, mente desprovida de conflitos e sentimentos desprovidos de sofrimentos, precisamos de uma reeducação, sobre a qual tratarei mais a seguir.

Ao estar sintonizada com a Consciência Divina, o seu DNA e as células de seu corpo integram as frequências de luz, e você passa a vibrar em outra sintonia, como se sofresse um processo de transformação (lembra que falei, algumas páginas atrás, sobre as cascas da cebola?). Esse processo vai fazendo com que você remova véus de ilusão para poder absorver a sabedoria divina.

Ao mesmo tempo, muitas pessoas acreditam que viver uma vida "espiritual" seja largar tudo que há de material e mergulhar numa jornada no Himalaia. Divino mesmo é poder praticar a espiritualidade no dia a dia: seja dentro de um ambiente de trabalho desafiador, seja na criação dos filhos, mesmo que possa ser maravilhoso ir ao Himalaia. Afinal, não dá para buscar fora o que só se encontrará dentro.

Para criar prosperidade em todos os níveis, é necessário, em primeiro lugar, ter determinado nível de harmonia interna.

Que emoções estão controlando sua vida? Se as emoções não trazem sensação de felicidade, você imediatamente passa a questionar as escolhas e começa a buscar respostas para o sofrimento e a insatisfação na sua vida.

Conforme fica atenta, começa a seguir a orientação da sua alma, alinhando suas vontades, confiando nos pensamentos inspiradores e intuitivos a partir de outra perspectiva.

Você aprende a fazer as pazes com o passado e se concentrar no momento presente, mudando o padrão vibratório do seu corpo emocional.

Somos potencialmente sábias, soberanas, guerreiras, rainhas, veículos de expressão do amor divino e da prosperidade. Ainda assim, muitas de nós perdemos muito tempo e energia pelo caminho, sem saber canalizar na direção certa.

Aqui, escrevendo para você, me lembrei de uma conversa que tive com meu esposo, Tarcísio, em março de 2018, quando eu estava arrumando as malas para ir a um grupo de negócios no qual reunimos grandes mentes para falar de desenvolvimento humano, negócios e *marketing*. Seria o primeiro encontro presencial desse grupo, aconteceria na cidade do Rio de Janeiro, na região do Joá, numa mansão que nosso mentor alugara para nos receber. Eu estava separando as roupas e disse ao meu esposo que aqueles dias prometiam ser intensos, pois, além da vivência com esse grupo, eu estava com a agenda lotada de entrevistas nos intervalos de almoços. Ele me questionou quais seriam, e expliquei a ele que uma das entrevistas seria na Rádio Globo, para o programa *Papo de almoço*, no qual eu já tinha estado em janeiro do mesmo ano.

Ele questionou qual seria o tema, e respondi que falaríamos sobre sucesso, como atingir e como lidar com ele. E em seguida ele trouxe outra pergunta:

– Você sabe quem estará lá com você? Sabe se terá alguém conhecido? Estou te perguntando isso pois você já esteve lá e vai ser muito corrido e cansativo para você. Você não acha?

Calma e alegremente, respondi:

– Meu amor, quando estamos em missão e recheadas de amor, a nossa energia é muito mais alta. Não sei quem serão as pessoas, sei que será para a Fernanda Gentil, e adoro o trabalho dela. Irei muito feliz, pois sinto que terei muito a contribuir. Com relação às pessoas convidadas que estarão lá, tenho uma certeza: que Deus já as selecionou e que será tudo arquitetado por ele para que todos nós possamos fazer ainda mais e melhor os nossos trabalhos. E posso te afirmar que será alguém que eu conheço e com que tenho alguma afinidade de alma, pois aqui no meu coração eu já estou megafeliz e animada.

Depois disso, continuei a fazer as malas, pois precisaria sair de madrugada, dirigir 240 km e pegar o voo cedo em Vitória. No caminho para o Rio de Janeiro, descobri quem seriam essas pessoas que dariam a entrevista.

Ninguém mais, ninguém menos, que Claudinha Leitte, Hugo Gloss e eu, que falaríamos de sucesso em nossas carreiras. Fiquei internamente feliz, pois, além de serem pessoas que eu admirava, eu as percebia com valores interiores similares aos meus – e são pessoas muito alegres e excelentes no que fazem.

Aquela entrevista foi realmente maravilhosa. Conhecer cada uma dessas pessoas e a sua jornada de sucesso foi incrível, assim como ser reconhecida como uma profissional de sucesso na minha área, sendo eu mesma.

Aliás, algumas perguntas que lancei naquela entrevista gostaria de reproduzir para você:

– O que é sucesso para você?

– O que está disposta a fazer para alcançá-lo?

– Por que isso é importante para você?

– Como perceberá que você o atingiu?

– Quem estará com você quando conquistar isso que desenhou como sucesso?

Questiono isso pois a definição de sucesso é individual e pode ser muito superficial – e muitas pessoas se sacrificam, deixam de ser elas mesmas para viverem a definição de sucesso e felicidade dos outros.

Na minha concepção, sucesso é ser eu mesma em todas as ocasiões e cumprir com êxito a minha missão de alma, sendo feliz e vibrando o amor que eu sou. Sucesso é SER!

Repito o que lhe disse anteriormente: tudo está dentro de nós e da permissão que damos para ser quem somos. O desafio é porque muitas vezes permanecemos tanto tempo magoadas, vivendo emoções negativas, trazendo complicações físicas, que nos desequilibramos psiquicamente e deixamos de ser quem realmente somos.

Deveríamos escolher, para nosso bem, pensamentos de prosperidade, alegria de viver, encantamento pela vida, solidariedade, caridade, generosidade, altruísmo, e dessa forma estaríamos recebendo tudo isso em troca da força que desencadeamos.

Se nos mantemos desanimados, angustiados, as energias vão sendo drenadas, e dá aquela impressão de que as portas da vida estão sempre emperradas para nós.

Muitas vezes só despertamos quando, dentro de nós, aparece um alerta que faz a pergunta: é só isso? Muitas pessoas, então, acabam buscando prazeres para preencher o vazio da alma.

Quando comecei a trabalhar com emagrecimento, percebia que a primeira questão era trabalhar a mente dessas pessoas e seus processos internos. Muitas delas estavam desalinhadas nos quatro corpos. O cérebro busca prazer e liberações rápidas de dopamina – que podem vir do sexo, de atividade física intensa. Mas a maioria das pessoas usava a comida como fonte de satisfação e prazer imediatos.

Ao realinhar os corpos, paramos de viver uma vida mediana e passamos a buscar aquilo que sempre desejamos. Paramos de contar historinhas para nós mesmas sobre "não precisar de dinheiro para ser feliz" e o que nos atrapalha de ter a vida que sempre sonhamos.

Agora que você já entendeu que temos quatro corpos, vou explicar como trabalhá-los para atingirmos a prosperidade. Dessa forma, você irá viver a Jornada da Rainha e se tornar a verdadeira diva da prosperidade que nasceu para ser.

COMO TRABALHAR OS QUATRO CORPOS PARA ATINGIR A PROSPERIDADE

"Um ser humano não se torna extraordinário apenas pela quantidade de prosperidade que cria. O que torna a vida humana verdadeiramente extraordinária são os momentos de felicidade que experienciamos diariamente. Uma vida extraordinária pode ser uma vida muito simples, mas é uma vida que é experienciada completamente"

Hoje as pessoas me perguntam: "Rafaela, você está sempre despreocupada em relação ao dinheiro. Como consegue isso?".

Ainda não posso lhe dizer sempre. Posso lhe afirmar que a maioria do tempo, sim, estou despreocupada, afinal, cada vez que crescemos internamente, sei que a riqueza exterior que acompanha a alquimia interior se materializa.

Conforme avançarmos no livro, você entenderá mais sobre as Leis da Prosperidade, inclusive a Lei do Fluxo, que vou explicar em detalhes. O que desejo que você entenda é que, se estiver sofrendo porque não imagina de onde virá sua fonte de renda, seu mental está contaminado com preocupações e faz com que seu emocional sofra. Logo, você está com aquela gastrite nervosa, que é o corpo dando sinais. Ou seja, os corpos estão todos desalinhados. Você consegue imaginar alguém com paz de espírito desse jeito?

Você realmente acredita que, nesse interminável ciclo destrutivo, pode nascer a prosperidade? Se está com medo de não ter dinheiro para cobrir suas despesas, age com desespero, ansiedade. Se os altos e baixos de dinheiro acabam se refletindo no seu estado de espírito, em primeiro lugar, precisamos fazer as pazes com isso.

Lembra que contei que, quando tive meu primeiro dinheirinho depois de vender *chup*, senti aquela alegria reverberar na alma e tive certeza de que queria sempre gerar dinheiro como fruto do meu trabalho?

Pois é. Mas muita gente acaba tendo outro tipo de relação com o dinheiro. Ou porque via como os pais lidavam com o tema, ou porque tinha escassez em casa. Conheço pessoas que convivem com o medo de faltar e seguram o dinheiro, para não gastar. Eu mesma já quase caí nessa armadilha, de tanto ouvir que tinha de poupar para a velhice. Era uma crença do meu pai, que vinha do pai dele e que ficava enraizada em mim. Mesmo que conscientemente eu não acreditasse naquilo, sempre que ia investir em algo, surgia uma sensação esquisita para me dizer, como se meu pai morasse ali naquela carteira: ei, você tem certeza de que não é melhor poupar para ter depois? Vai que isso acaba... Compreenda que poupar está tudo certo, para depois investir na sua liberdade financeira; o errado são as emoções que sustentam esse ato de poupar.

Provavelmente você deve ter uma história para contar da sua relação com o dinheiro e da relação que seus pais tinham com o dinheiro. Se queremos falar de prosperidade, precisamos entender que não adianta simplesmente querer, pensar positivo, ou trabalhar duro, que, se o sentimento, a ação, as emoções e pensamentos não estiverem alinhados, a probabilidade de se conquistar prosperidade é limitada, já que é preciso trabalhar a unificação dos quatro corpos para termos o resultado esperado. Precisamos SER prósperas para TER a prosperidade.

Se queremos trabalhar a prosperidade, é fundamental que comecemos no campo espiritual. De que forma? Aprendendo a nos reconectar por meio do nosso espírito com a fonte de energia no Universo, com Deus. O ditado que diz "a luz os fará livres" é absolutamente verdadeiro, já que a luz está sempre desfazendo as camadas e camadas da negatividade que carregamos por um tempo longo.

O caminho espiritual nos ajuda a substituir a ilusão da separação.

Existem iniciações ou exercícios que podem ajudá-la a conectar-se com a Fonte da Prosperidade Divina. No entanto, para começar, indico que se observe mais e veja onde você ainda não está colocando o seu amor de forma incondicional. E se a mente estiver agitada ou você não estiver conseguindo obter a clareza dessa resposta, pode começar pela meditação como uma prática simples e efetiva para conquistar esse objetivo.

Depois que está conectada com o fluxo natural de energia do Universo, pode começar a trabalhar o corpo mental, já que ninguém anda para a frente se não desenvolver uma nova consciência sobre prosperidade. É preciso acreditar na prosperidade, desprovida de crenças limitantes que a condicionam na escassez, para que a mente tenha uma nova força.

"Mas, Rafaela, como consigo fazer isso, se a vida toda ouvi que dinheiro não cai do céu? Se sempre tive dificuldade de conseguir dinheiro, e meu pai repetia que a vida era difícil pra todo mundo?"

Pois é: para criar crenças fortalecedoras sobre o dinheiro, é necessário reprogramar a mente. Eu poderia dizer que só sendo você em essência você já consegue, mas infelizmente o termo "essência" se banalizou, e muitas vezes você pensa que está sendo você mesma, e não está. Claro que essa é uma virada maravilhosa, pois estará seguindo por um caminho direto, e assim mais rápido. Exatamente assim: abandone o medo e siga no amor incondicional, fluindo na vida.

Como a velocidade para o despertar está diretamente relacionada com a sua força e perseverança de ir cada vez mais fundo na consciência, se desnudando da roupagem do ego para acessar quem é em essência, também costumo passar algumas dicas para quem sente a necessidade de começar mais pelas bordas antes de mergulhar fundo.

Costumo ensinar visualizações, decretos, afirmações que ancorem essa energia no corpo mental. No final do livro, vou ensinar um ritual da abundância que pode ser feito durante 21 dias consecutivos e contém decretos e visualizações que ajudarão a fixar o padrão positivo da prosperidade no corpo mental.

Logo em seguida vem o corpo emocional. Como você se sente em relação ao dinheiro? Você sente que merece? Qual a sensação que você tem ao ver uma pessoa rica? Você fica incomodada?

Tenho uma amiga que bradava aos quatro ventos que a injustiça social era a causa de os ricos terem tanto e os pobres não terem nada. Sempre que ela via alguém com dinheiro, sentia raiva, porque sua mente alimentava a crença de que aquela pessoa estava ganhando injustamente, e começava um julgamento interno do qual ela não conseguia se libertar.

Uma pessoa que tem uma crença como essa certamente vai emanar um sentimento negativo quando vir alguém com dinheiro. E adivinhe só o que vai acontecer com a vida financeira dela? Degringolar. Porque ela acredita que quem ganha dinheiro é desonesto. Logo, as emoções colaboram para que ela afaste a energia da prosperidade.

Por isso, depois de trabalhar o corpo mental, é preciso passar pelo corpo emocional, porque existem muitas emoções que foram disparadas durante anos e nem conseguimos detectar.

É preciso se sentir merecedora da energia do dinheiro para poder criar a prosperidade e manifestá-la no seu dia a dia. Costumo fazer um exercício simples focando a energia da abundância no chacra cardíaco e visualizando ele se abrir como um sol. Se puder, leia em voz alta para interiorizar esta mensagem.

Visualize o centro do seu coração se abrindo como um sol. Inspirando e sentindo um sol quente e dourado com uma flor da vida no centro dele, nutrindo e acolhendo. Depois, expire dando um decreto para que seu automerecimento seja fortalecido, como: "Eu sou próspera, abundante, e desejo e mereço a prosperidade em minha vida!".

Em última instância, trabalhamos a prosperidade no corpo físico. Aí vem o discurso da ação. O que muitas pessoas fazem é agir, procurar produtividade, ter ações coordenadas, mas desalinhadas, com a mente, o espírito e as emoções.

Somos capazes de manifestar a prosperidade no plano da matéria se temos ações e comportamentos específicos de que falaremos mais adiante. Dessa forma, facilitamos a passagem da energia.

Um exemplo simples: imagine só que você está conectada com seu propósito de vida, emana uma emoção positiva, tem a mente próspera; ainda assim tem atitudes que brecam a prosperidade – por exemplo, quando vai pagar uma conta, sente apego ao pagar, ou tristeza. Ou se tem atitudes mesquinhas ao invés de se abrir para o fluxo da generosidade, que prevê abundância para todos que o cercam. Existem inúmeros comportamentos e pensamentos que repelem a prosperidade na nossa vida e travam a prosperidade, e vou enumerar alguns deles em outro capítulo.

Uma pessoa próspera tem confiança de que todas as suas necessidades serão atendidas independentemente disso, e o dinheiro surge como consequência natural dessa confiança.

Da mesma forma que você recebe, é importante aprender a dar, porque prosperidade é fluxo que está em constante movimento.

Muitas pessoas têm dinheiro, mas não têm uma família feliz e unida, ou um relacionamento saudável. Outras acumularam fortunas, mas lutam contra doenças que o dinheiro não pode curar.

É importante reforçar que uma pessoa próspera não é necessariamente milionária, afinal, a energia da abundância se manifesta em todas as áreas da vida. Se o foco na área financeira desequilibrar as outras, há que se equilibrar o fluxo. Se você deseja ter milhões, é importante que seja milionária. Isso vai exigir uma maior evolução espiritual e de despertar da consciência para que esses milhões materializados sejam igualmente proporcionais nas áreas da saúde e dos relacionamentos. Claro que existem milionárias sem evolução, e por isso as outras áreas despencam. Muitas vezes você pode até não ver, pois o ego cria máscaras para disfarçar essas outras áreas.

REFORMA ÍNTIMA - A REFORMA NECESSÁRIA

"Zelemos pelos nossos ambientes tornando-os saudáveis e agradáveis para conviver. Otimismo incondicional, vibrações positivas sempre, tolerância construtiva, cativar laços, o hábito contínuo da oração, sorrir sempre, expressar alegria e humor contagiantes, dar pouca ou nenhuma importância aos reclames dos outros, guardar a certeza de que ninguém pode nos prejudicar além de nós mesmos"

Ermance Dufaux

Se estamos em busca de uma Vida Divina, com prosperidade em todos os níveis, precisamos viver de acordo com a vida que desejamos, e isso requer uma proposta de plenitude. Ou seja: é hora de varrer as sombras num processo libertador de consciência.

Para fazer uma reforma íntima, é necessário em primeiro lugar QUERER transformar-se. Não nos transformamos se jogamos os vícios debaixo do tapete. É hora de tirar a máscara.

A pergunta que você pode estar se fazendo é: "Mas, Rafaela, comprei este livro com a promessa de ter prosperidade e viver a Vida Divina na Terra. O que isso tem a ver com dinheiro?".

Imagine que você precisa primeiro fazer essa limpeza para que as coisas fluam da maneira desejada. Como um cano entupido que precisa de uma reforma para que a água flua.

A reforma íntima é como uma reorganização interna.

Quando decidimos nos transformar, o primeiro desafio é lidar com a nossa sombra. Tudo aquilo que a gente julga que é ruim, mas que precisa encarar.

O objetivo de fazer uma reforma íntima é renovar, como se você fosse jogar fora todas as roupas que não têm mais nada a ver com você e estão ocupando espaço no guarda-roupa.

Lembra que Jesus dizia que era necessário orar e vigiar? Agora é hora de efetivamente cultivar o hábito da higiene dos pensamentos, do estado de presença, com a mente no aqui e no agora, da nutrição mental. Hora de vigiar a postura da mente.

Também é necessário começar a gostar mais de si mesma, de aprender a se amar de verdade, independentemente do que tenha feito no passado.

É importante entender aqui que reforma íntima é melhorar a si mesma, bancando ser quem realmente é, parando de se ocupar em atender expectativas alheias.

Quando nos alinhamos com a nossa essência verdadeira, nos comprometemos a ser melhores e dar o melhor de nós. Nos comprometemos a entregar o máximo de nós para as pessoas com as quais nos relacionamos e observamos se isso está alinhado com a nossa real missão de vida.

No entanto, só é possível se relacionar em essência quando passamos pela reforma íntima. Quando você está conectada com sua essência, não faz coisas que não estejam alinhadas com seus valores, não faz falsas promessas ou ludibria as pessoas. Você se apresenta como é, com suas vulnerabilidades todas, sem querer passar uma imagem de perfeição construída por uma máscara.

Querer reformar a si mesma é mergulhar profundamente para dentro de si, saindo da zona de comodidade. Se até aqui você chama de zona de conforto, quero dizer que o cocô da vaca onde o passarinho se aquece para não morrer de frio pode ser cômodo – agora, confortável, NÃO É! Imagine se algo que fede e é pegajoso pode ser confortável.

Reformar é formar novamente, dando uma nova forma. Sendo assim, reforma íntima nada mais é que dar direção aos valores que já temos e corrigir deficiências cujas raízes ignoramos ou não temos condição para mudar.

Ao mesmo tempo, é hora de parar de nutrir imagens irreais que criamos de nós mesmas. Vamos fazer as pazes com as imperfeições, abandonando estereótipos e descobrindo nossa singularidade com gratidão.

Só assim conseguiremos a verdadeira alquimia interior.

A VERDADEIRA ALQUIMIA INTERIOR

A verdadeira alquimia tem três fases.

A fase em que reconhecemos a confusão dentro de nós, mas ainda não somos autoconscientes de tudo e precisamos de um olhar externo para nos guiar. Nessa primeira fase, ainda estamos distantes da nossa consciência espiritual, mas sentimos que precisamos mudar alguma coisa. Muitas mulheres passam por esse período quando começam a entender que o trabalho está sem significado, ou que a vida parece sem sentido. Essa é a fase em que a maioria das pessoas passa a buscar ajuda.

Nessa fase, vamos nos limpando de traumas e fazendo uma reforma íntima, para poder alcançar níveis mais altos de consciência depois da libertação da carga que carregamos.

É dessa forma que os canais ficam abertos para o processo de tomada de consciência. Começamos a entrar em contato com nós mesmas, entrando num profundo processo de autoconhecimento para depois, na última fase, quando tudo se torna mais claro, nos reencontrarmos com a nossa missão espiritual e passarmos a expressar a nossa mais pura essência.

Essa alquimia se assemelha a um processo de purificação.

Poucas pessoas sabem que mudar os pensamentos baseados no medo para pensamentos baseados no amor é literalmente um processo alquímico, porque começamos a utilizar nosso corpo mental para um propósito cada vez mais elevado.

A mesma coisa acontece com o corpo emocional. A qualidade das emoções pode criar verdadeiros curtos-circuitos em nosso campo vibracional. Isso porque estamos condicionados a respostas emocionais automáticas, e se somos atacados, por exemplo, atacamos de volta.

"Rafaela, mas como curar isso?" A resposta é uma só: precisamos inundar nossos corpos com amor, alegria e gratidão. A frase que diz que "o medo separa e o amor repara" é a mais pura expressão da verdade.

Fazer uma verdadeira alquimia nos corpos é purificar as emoções, os pensamentos.

Nossa transformação é como a da fênix, e, à medida que a experiência de ser você em essência se tornar rotineira, você começará a escolher intencionalmente a realidade na qual quer viver.

A FONTE DO PODER PESSOAL

ACEITAÇÃO

Ainda me lembro como se estivesse diante de minha mãe, e talvez um dos maiores presentes que ela tenha me deixado foi o ensinamento da aceitação. Sempre que trago esse tema à tona me recordo das atitudes dela, diferenciadas e cheias de sabedoria. Hoje percebo que, quanto mais distantes estamos das nossas raízes, buscando informações fora, muitas vezes esquecemos a essência e a simplicidade dos ensinamentos que podem transformar a nossa vida.

Um desses ensinamentos, que me foi dado lá na infância, quando perdi minha tartaruguinha de estimação, foi a aceitação. Se vamos falar agora de poder pessoal, precisamos saber o bê-á-bá do que nos transforma e dá forças para que possamos incorporar esses comportamentos, hábitos e sentimentos no nosso dia a dia, eliminando o que não agrega e nos distrai.

Esses dias, preparando uma colaboradora para um treinamento, estávamos conversando sobre o conceito da felicidade. Talvez você nunca tenha se dado conta ou questionado a si mesma o que é felicidade em si. Todo mundo fica em busca de uma fórmula de felicidade. Aqui na *matrix* as pessoas pensam felicidade da seguinte forma: felicidade é F = R − E (que seria realidade menos expectativa).

Se formos analisar de maneira nua e crua, então só estamos felizes quando a minha realidade supera a expectativa que eu tinha, e triste quando a realidade não supera a expectativa.

Se já parou para perceber seus altos e baixos, certamente deve ter percebido isso. Quantas vezes alimenta expectativas e se torna incapaz de conviver com a realidade que se apresenta?

Vou contar uma coisinha: o ego pode ser frustrado e ficar triste. Ele se engana o tempo todo. Talvez o que você esperava não era uma felicidade real, e sim uma alegria ou prazer momentâneo, que é absolutamente diferente de uma felicidade de alma ou essencial.

"Mas, Rafaela, então eu não posso sonhar com o melhor?"

Vamos, sim, nos permitir sonhar, porque, se eu não conseguir sonhar e colocar energia nisso, não vai acontecer mesmo.

Mas existe uma sutil diferença entre desejar intensamente, colocar sua energia naquilo, fazer o seu melhor, com foco, ação direcionada e constante, e de repente entender que não veio o que se esperava. Esse é o momento de exercitar a aceitação. Se fiz tudo com a clareza de que fiz o melhor, fiz tudo com consciência e não veio o que desejei, é porque existem planos universais e celestiais, e quando vejo apenas um pedaço daquele cenário, sofro.

Quando as pessoas estão na borda da boa personalidade de um ego mais sutil, que são as pessoas pseudoespiritualizadas, elas se frustram muito.

Esse é o que chamo de o pulo da gata.

Quando não acontecer o que você espera, observe e pergunte a si mesma: afinal, que lição a vida está tentando me ensinar? Para onde as coisas vão se desenhar? Penso que, se fiz o meu melhor e as coisas não acontecem daquele jeito, é porque tem algo muito melhor a caminho, mesmo que no momento pareça que algo deu errado. Será que o que você considera errado não é apenas diferente do jeito que você gostaria que fosse? E se eu dissesse que talvez a vida traga exatamente o que é melhor para você?

Há alguns dias, estava com uma reunião agendada em outro estado. Por causa de uma reunião inesperada e prolongada com um gestor, precisei ficar em Vitória por mais tempo e tive que desmarcar aquela reunião, que seria para um contrato muito importante para a Academia Vida Divina. A pessoa não poderia remarcar o horário, pois viajaria naquela tarde. Peguei o avião mesmo assim, seguindo os compromissos no interior de São Paulo. Segui firme, alegre, e assim, no caminho, fiz outra conexão que gerou um contrato tão interessante quanto o outro.

O que pode ser que você não perceba é que, em 99% das vezes, vem algo melhor do que você estava esperando.

Esse é o soltar, jogar para o Universo e confiar. Confiar que virá algo melhor, que existe uma inteligência superior arquitetando tudo.

Minha mãe, que, na época, eu achava que vivia num Fantástico Mundo de Bob, era uma expressão da aceitação. Com ela aprendi que não era possível ser magoada pelo outro, porque isso só acontece quando permitimos que aconteça. Só somos afetadas se permitirmos. Ninguém a magoa, você que permite isso.

FÉ INABALÁVEL

Você já teve fé inabalável em algo? Percorreu um caminho enquanto tudo estava escuro, sendo guiada só pela voz da intuição, que dizia que tudo ia dar certo?

É muito fácil ter fé quando temos garantia e segurança de que tudo vai acontecer da maneira como desejamos. Nosso ego é traiçoeiro, e passamos a buscar tais garantias, andando a passos lentos, com medo do que pode não acontecer da maneira como esperamos.

Fé inabalável é uma fonte de poder pessoal, porque, quando andamos com ela, acreditamos que merecemos, fazemos nosso melhor e simplesmente deixamos a cargo de Deus nos entregar aquilo que desejamos do fundo da alma.

A ação sem a fé não adianta, o pensamento sem a fé não adianta. É essa a matemática que precisamos compreender de uma vez por todas.

Muitas vezes na vida a nossa fé pode ser testada, e é exatamente nesses momentos que precisamos manter essa chama acesa, pois ali realmente precisamos dela.

Acredito que fé é crença na sua totalidade de que alguma coisa vai acontecer. Fé é crença total em algo espiritual, e quando você acredita que é filho de Deus e crê que recebeu talentos, nada é impossível.

O cultivo da imaginação e da fé deve tornar-se intimamente familiar para você, porque são os principais ingredientes da percepção. Para isso, você precisa perceber quais são seus desejos, e dessa forma a semente da esperança terá onde germinar.

Assim que souber o que deseja, peça.

Não há necessidade de esforço para ter fé. É só relaxar e confiar. Quando você acredita e se solta na vida, não tem estresse. É como ter certeza absoluta de que Ele está cuidando de cada um de nós.

A vida é uma grande escola. Comece a caminhar e fazer o melhor que você pode.

Tudo que é para ser feito merece ser muito bem feito. Lembre-se do Jesus lindo e amoroso. Veja o rosto de Jesus em toda ação que fizer. Você não vai fazer nada que não seja extraordinário, porque estará servindo Jesus. Somos criados à imagem e semelhança de Deus.

Esse melhor faz este mundo ficar melhor e nos faz acreditar que tudo podemos.

Porque podemos tudo.

INTUIÇÃO

"Não existe nenhum caminho lógico para o descobrimento das leis elementares – o único caminho é o da intuição"

Albert Einstein

Todos nós já recebemos informações vibracionais sem perceber. De repente já deve ter sentido uma intensa vontade de ligar para alguém e essa pessoa entrar em contato com você, ou descobrir que essa pessoa estava precisando de um conselho seu no momento em que oferece algum tipo de auxílio.

Intuir a vida é como fazer o dever de casa antes de pôr mãos à obra. Se estamos atentas e conscientes, conseguimos recolher as informações e os *insights* de que precisamos ao nosso redor e passamos a sentir e perceber as coisas em volta como se capturássemos impressões.

Sintonizando tais percepções sutis, desenvolvemos o que se chama de sensibilidade consciente, que nos traz informações preciosas. Assim, começamos a desenvolver sensibilidade e a captar informações não verbais dos ambientes pelos quais transitamos.

Ou seja: não existem pessoas mais intuitivas ou menos intuitivas. Podemos levar a vida usando a sensibilidade para intuir o mundo conscientemente.

Costumo dizer que na intuição mora a conexão com o eu superior e a chave para a conexão com a essência. Temos, dentro de nossa mente, duas mentes: uns chamam de *self* 1 e *self* 2 – sigo muito a linha de *Um Curso em Milagres*, que as chama de ego e essência.

Para você entender um pouco o que é *Um Curso em Milagres*, vale contar como ele foi escrito. *Um Curso em Milagres* combina ensinamentos espirituais com a psicologia prática. O objetivo do *Curso* é curar a mente humana, ajudando a remover as barreiras que nos impedem de despertar para a presença do amor, e começar a ouvir a voz de Deus, nosso professor interno.

A própria história de como o *Curso* veio ao mundo é uma representação de tudo que estamos falando aqui. Começou com uma mulher chamada Helen Schucman, doutora em psicologia, que trabalhava com um homem chamado Bill, também psicólogo, que era chefe do departamento de psicologia no hospital onde trabalhavam.

Hellen, àquela altura da vida com cinquenta anos, se considerava ateísta militante e julgava de forma agressiva todo pensamento não científico, tudo que não poderia ser estudado, medido ou avaliado. Mas começou a escrever, apoiada por Bill, tudo aquilo que "intuía" e era ditado na sua mente.

Em certo momento, Hellen intuiu que iria fazer algo inesperado, e comunicou a Bill sobre esse sentimento. Ele sugeriu que ela anotasse todas as coisas que lhe viessem à cabeça. Cerca de quinze dias depois disso, começou a ouvir uma voz que lhe dizia: "Esse é um curso em milagres. Por favor, tome nota".

Helen não tinha dúvida de que era a voz de Jesus, o que tornava tudo muito mais assustador. Uma vez Helen queixou-se: *"Por que é que você me escolheu? Eu sou a última pessoa no mundo que deveria estar fazendo isto".* E ele respondeu: *"Não sei por que você está dizendo isso, porque, afinal de contas, você está fazendo".*

Todos temos a mente certa e errada. A mente errada quer ter o controle de tudo. Esse é o desafio.

Toda vez que você vai olhando para um lado e o seu racional está apontando para cá, é um desafio. Pessoas precisam se permitir confiar em si mesmas.

Você vai perceber, ao longo da vida, que, quando algo dentro de você dizia para ir por um caminho e você seguiu outro, não foi como esperava. Isso acontece porque todo poder está em confiar em si. Aí fica limpo esse canal dessa inteligência superior, que é o que a gente chama de "Espírito Santo de Deus", falando em nós.

O fato é que estamos entrando na Era da Intuição. Cada vez mais, pessoas que desenvolvem a habilidade de se conectar e confiar na sua intuição comprovadamente vivem uma vida mais próspera, pois se alinham no fluxo da prosperidade e riqueza e assim conseguem realizar mais os seus sonhos.

Se observar, as pessoas com baixa autoestima têm mais dificuldade de crer na inteligência intuitiva, afinal, tendem a desconfiar de tudo que vem do seu interior, pois confiam pouco em si próprias e assim refletem e projetam isso para o meio externo, para o mundo. Por isso, defendo a elevação da autoestima como pilar inicial de um processo de mudança real, para um processo de entrada no fluxo de prosperidade.

MENTE VITORIOSA

Como você começa seu dia? Um dos grandes segredos que aprendemos neste livro, que muda a nossa vibração e o filtro com o qual vemos a vida, é a gratidão. O amor incondicional faz isso, só que muitas pessoas sentem que o amor dessa forma é um passo muito grande. Se isso acontecer com você, pode começar por sentir gratidão. Só que eu diria que, de mãos dadas com a gratidão, está a mente vitoriosa, que a ajuda na construção da sua Vida Divina.

Pode reparar: as pessoas que têm sucesso têm algo em comum. Essas pessoas têm uma mente vitoriosa. Enfrentam inúmeros desafios ao longo da vida e nunca estão focadas no problema. Elas criam uma espécie de barreira de proteção contra eles. Essa barreira é feita por meio do treino mental, do domínio da mente errada para se vencer o jogo interior.

Uma mente positiva é aquela que mais agradece do que reclama. Sugiro que você escreva essa frase em algum lugar onde possa visualizar todos os dias. Sempre que pensar em colocar foco no problema, crie uma maneira de olhar por outro prisma: aquele que foca em tudo que está correndo bem, "apesar de".

Somos como um rádio que sintoniza diversas estações ao longo do dia. O problema é que muitos de nós escolhem sintonizar sempre aquela mesma estação: das reclamações, de trazer à tona tudo que é ruim, de falar das tragédias, dos problemas, das contas não pagas, do que não deu certo.

Enquanto outras, aquelas que exercitam a mente vitoriosa, simplesmente estão em outra sintonia. Elas enxergam o problema e se perguntam: como posso contornar esta situação? O que tem aqui para eu aprender? Qual será a vontade de Deus na minha vida nesse momento?

Costumo pedir aquele Instante Santo, peço a Deus clareza e aceitação para fazer a vontade Dele, e não a minha. E já elevo meus pensamentos para observar os movimentos da vida e voltar a fluir nesse movimento toda trabalhada na expectativa de que algo melhor virá!

Pode perceber: tente abordar um assunto chato com alguém que está de bem com a vida. A pessoa simplesmente vai continuar com o sorriso no rosto e mudar o tom da conversa. Isso é tão espontâneo que, na maioria das vezes, quem reclama nem percebe que mudou o estado de espírito e o humor só com uma simples conversa com a pessoa que estava no "positivo".

Conheço mulheres que estão sempre buscando o melhor na vida. Querem o carro dos sonhos, o relacionamento incrível, a harmonia com os filhos, a viagem perfeita, mas no dia a dia estão aprisionadas na mente que só consegue focar no que deu errado. Elas ocupam espaço mental reclamando da ajudante do lar, da casa, do chefe, do colega de trabalho, do marido, do preço das passagens, do político, e quando olhamos para aqueles dois copinhos – o da reclamação e o da gratidão –, percebemos que um deles está cheio, e o outro, vazio. Adivinha qual ela enche mais?

Precisamos mudar essa chave imediatamente se queremos prosperar e evoluir. É claro que existirão desafios, mas, quando focamos nos aspectos positivos, encontramos um estado emocional de gratidão, porque reconhecemos o que deu certo, ao invés de lamentarmos o que não deu.

O que quero que você entenda de uma vez por todas é que a mente presente está ligada à voz sagrada que você tem dentro de si. A pessoa que consegue ouvir a voz sagrada dentro de si consegue melhores resultados.

Todos temos dentro de nós a mente vitoriosa.

Tem duas receitas para ter a mente vitoriosa: primeiro, pare de reclamar. Quanto mais reclama, mais atrai o que há de ruim na vida e, principalmente, mais atrai aquilo de que reclama, pois joga seu foco, sua atenção naquilo, e quanto mais energia jogamos em algo, mais aquilo cresce. À medida que você diminui as reclamações e aumenta a gratidão, mais eleva sua vibração e se conecta com a mente vitoriosa.

Agradecer é uma das maiores receitas de sucesso. Costumo dizer que, quanto mais você agradece, mais a graça desce. Gratidão é uma das mais lindas declarações de amor a Deus.

Agora lembre-se de sentir a gratidão. Não é dizer obrigada ou grata – isso é legal, só não é forte o suficiente. Uma dica para você já aplicar, que gera excelentes resultados a minhas clientes em apenas 21 dias, é o exercício da gratidão. Liste vinte coisas às quais você pode se sentir grata; duas vezes por dia (antes de se deitar e ao acordar), mentalize essas vinte coisas e imagine que toda a sua gratidão se transforma num enorme feixe de luz que atravessa a sua casa e se une a vários outros feixes de luz de outras pessoas. Em seguida imagine que você direciona essa imensa força de amor e gratidão a todas as pessoas que necessitam de ajuda (creches, asilos, hospitais, penitenciárias, orfanatos...).

Por fim, peça a Deus a permissão para usar dessa energia para seu próprio benefício e sinta essa força.

Os pensamentos negativos que começam nas crenças são aquilo que acreditamos como verdade, aquilo que está no âmbito das ideias. Penso, e todo pensamento gera uma emoção equivalente. Na medida em que penso algo negativo, libero cortisol no meu corpo.

Se você está sempre tenso, começa a atrapalhar seu corpo. Começa a dormir mal, atrapalha o corpo, trazendo outras doenças. É como se o pensamento agisse contra você. A mente focada no negativo é a base de diversas enfermidades.

Minha mãe dizia que deveríamos sempre usar as palavras com responsabilidade. Como eu sabia disso desde pequena, cuidava do que vinha antes das palavras, que eram os pensamentos. Porque não adianta falar coisas bonitas e pensar em coisas ruins. Você precisa alimentar sua mente com aquilo que quer produzir de resultado.

À medida que pensa positivo e começa a agradecer, sua mente e seu corpo começam a entender que as coisas estão dando certo, e começa uma espécie de marcador cerebral.

Cada pensamento que você tem, ou grupo de pensamentos, é relacionado a uma emoção equivalente, um sentimento.

Jesus falava que nossas palavras têm poder, e todos os grandes iniciados e avatares que passaram pelo planeta foram capazes de trazer uma energia que sustentava as palavras que diziam, porque o pensamento deles combinava com o sentimento e com a ação, eram congruentes.

Você está programando seu cérebro. As palavras podem ajudá-la a fazer isso.

Pode ver o exemplo de uma mãe que fala sempre algo para o filho. Ela vai colocando aquela semente na cabeça da criança para construir alguma coisa no futuro. Outro dia uma amiga me contou que estava numa conversa com outra amiga falando sobre medos. Enquanto ela tinha medos absurdos de as coisas "não darem certo", a outra parecia levar a vida sempre na base da confiança, e surpreendentemente o resultado era sempre positivo.

Quando começamos a investigar o passado dessa outra amiga, percebemos que desde pequena a mãe dela dizia a ela que não precisava se preocupar com aquilo, que era para confiar na vida. Já essa minha amiga tinha a crença de que era preciso ter segurança a cada passo dado, para não cair.

Pode perceber: quando a criança começa a andar, se a mãe deixa o filho cair e inspira confiança de que ele é capaz, a criança naturalmente consegue cair, levantar e dar os passos sozinha; mas se a mãe vê o filho caindo e diz que ele não está preparado ou grita quando ele cair, ele acredita naquilo.

Crenças são profecias autorrealizáveis. Se você diz que seu filho não vai vencer e que ele não consegue, está criando emoções equivalentes. Já vi mães criando filhos indestrutíveis e mães criando filhos doentes. Mães que diziam que a saúde da criança era precária, vendo essas crianças sempre adoecerem, e mães dizendo que a criança tinha a saúde de um touro e aquilo realmente acontecendo.

Sempre vai ter alguém que vai duvidar de você. Você só precisa cuidar para que esse alguém não seja você mesma.

Muita gente me pergunta "Rafaela, como sei que pensei em algo negativo?". A resposta é simples. Se você estiver se sentindo mal ou sentir qualquer desconforto físico, esse é um alerta de que algum pensamento naquela frequência você está tendo.

Naquele momento, pense em três coisas pelas quais você pode agradecer ou que pode pensar de legal em sua vida. Agora atenção: se vier uma emoção negativa, permita-se senti-la e deixá-la passar rapidamente por você; se ela não passar e você introjetar essa emoção, terá mais daquilo em sua volta. Por exemplo, se ficar com raiva, sinta raiva, respire fundo, observe qual a causa daquilo, deixe a raiva ir passando e, a partir daí, já mude seu foco. Caso contrário, você tapará o sol com a peneira e irá projetar a raiva, atraindo mais situações similares, pessoas com raiva perto de você, para que você compreenda, aceite e cure o que precisar de cura em você. Não dá simplesmente para ignorar, compreende?

A dica que quero deixar, se você quer mesmo mudar a mente, é se dedicar a fazer isso no mínimo por 21 dias. A neurociência já diz que com sessenta dias, para muitas situações, você cria um hábito, então, não é do dia para a noite que começamos a focar no positivo. A partir do momento em que você faz isso por pelo menos 21 dias, torna-se um hábito.

Se esqueceu um dia, volte do zero e comece a contar os dias novamente. Nosso cérebro tem 86 bilhões de neurônios. Cada um faz uma média de cinco a dez mil ligações sinápticas. O que é isso?

Cada pensamento tem um encontro entre essas "perninhas". Você multiplicar 86 bilhões por dez mil é o que a física quântica chama de universo das infinitas possibilidades. Então temos muitas possibilidades de mudar. Quando eu mudar um pensamento, preciso mudar a musculatura, para aquele neurônio entender que é por ali que ele precisa passar. É como construir uma nova ponte, fazer uma nova estrutura de caminho para sua mente saber pensar daquele jeito. Essa é mágica da neuroplasticidade neuronal!

Uma pessoa que passou a vida toda focada no negativo, pensando que tudo que acontece é ruim, não vai acordar numa bela manhã de domingo e admirar o canto dos pássaros. Ela nem conhece esse caminho neural. A mente dela precisa começar a fazer esse caminho, e um belo dia ela vai despertar e vai ser natural, para ela, ter um novo pensamento.

O que quero deixar claro é que podemos treinar a mente para que ela esteja positiva. Esse treino não fará com que você ignore o que há de ruim. Ele vai fazer expandir as áreas da vida que estão boas, e, com esse foco, expandindo o lado positivo da vida, você naturalmente passa a perceber mais aspectos positivos do que negativos, e inevitavelmente se torna alguém mais propenso a acreditar e ter confiança no fluxo da vida.

Se quer mudar e quer uma dica para começar, assim que perceber a natureza desse pensamento e antes de se deixar levar por uma forte emoção, observe seu pensamento. Para cada pensamento negativo, coloque três positivos no lugar e mantenha-se fiel. Parou, continue. Garanto que você vai encontrar bênçãos na sua vida, mudando as lentes pelas quais olha para ela.

As pessoas também precisam observar que, para ter pensamentos positivos, é necessário mudar o seu entendimento sobre as coisas e minimizar os julgamentos. Não é apenas apertar a tecla de "deletar" e esses pensamentos irem embora. Porque é necessário sentir as afirmações que você coloca como verdadeiras.

Só que, para convencer a sua mente, você precisa questionar seus pensamentos.

Como inúmeros pensamentos causam desarmonia interna, conforme nos libertamos de tais pensamentos, vamos evoluindo para um estado em que escolhemos o que pensamos. Esse estado é uma conquista diária de quem não quer viver no piloto automático. Um desafio que nos propomos a enfrentar para sair da coletividade que quer nos aprisionar.

Dentro de nós existem essas duas vozes de que já falamos. Muitos as percebem como uma espécie de anjo bom e anjo mau que ficam ali duelando dentro da nossa mente, alimentando um diálogo interno, e isso nos tira do aqui e agora da pior maneira possível. Ou você nunca reparou que, quando esse diálogo acontece, pode estar desfrutando férias em Bali que vai arranjar um motivo para se sentir culpada, mal consigo mesma, ou preocupada com a felicidade que a está movendo para outros patamares?

Pois é. Essa "mente errada" faz isso. É importante saber que nosso corpo é instrumento da nossa mente e que o ego faz tudo para distrair a mente. O ego se faz de feliz e nos faz confundir prazer com felicidade. A felicidade está além de todo prazer. Por isso é tanta busca por prazeres imediatos.

Mas, Rafaela, como faz para que o ego pare de tentar nos distrair?

Essa pergunta de um milhão de dólares parece difícil de ser respondida, mas na verdade a chave é tão simples que muitos não conseguem perceber.

Para começar, vamos falar do amor. Você acha que realmente se ama? Ou você se julga o tempo todo? Você se ama apesar de suas falhas, ou, em circunstâncias que fazem com que se sinta menor, começa a apontar os dedos em direção aos seus fracassos?

Muitas vezes pensamos que nos amamos, e na verdade estamos nos amando menos do que merecemos, e assim as coisas boas que nos acontecem nos satisfazem temporariamente. Entretanto, essas coisas boas não encontram espaço dentro de nós.

O amor é um direito tão fundamental quanto a respiração, além de ser um poder extraordinário que temos. O fato é que talvez você ainda não compreenda a dimensão do que realmente é amor, pois a forma como nos ensinam o que é amor ainda é superficial. Quem realmente veio falar de amor na sua totalidade e não foi plenamente compreendido na época foi o mestre Jesus.

Você sabe que veio a este planeta com um propósito de crescer espiritualmente e expressar o seu amor de forma ampla e profunda. Quando deixar este planeta, a única coisa que levará consigo é a sua capacidade de amar.

Você não leva as bolsas caras, o carro de luxo, nem aquela casa com vista para o mar que traz a sensação boa de realização. Você não leva o sucesso profissional, a conta bancária ou os bens que conquista. O amor, isso você leva para onde for, pois amor faz parte de quem você realmente é.

Só conquistamos a prosperidade quando estamos plenas e nos amamos com profundidade. É desse jeito que conseguimos espalhar esse amor e amar incondicionalmente as outras pessoas.

Lembre-se de que o jeito que gostaríamos que as pessoas fossem é o jeito que você gostaria de ser você mesma, só que ainda não percebeu. Mesmo que não tenha parado para pensar nisso, saiba que é uma grande verdade que se escondia de você: "Aquilo que você quer que o outro seja é aquilo que você quer ser".

Portanto, o autoamor, a aceitação, encarar a si mesma com coragem, fazem parte do processo para que você consiga limpar as travas que a impedem de prosperar. É como o funcionamento de um carro que precisa de óleo no motor. Vamos colocando combustível, óleo, trocando a água. São algumas providências para que, quando você ligar o carro, consiga utilizá-lo da melhor forma possível. Mas muita gente quer uma mente vitoriosa como se quisesse usar um carro sem combustível ou sem trocar o óleo.

Assim como você não consegue ligar o carro sem combustível, fica difícil ativar a mente vitoriosa que você não abastece de amor, porque sem amor você acaba sendo rígida consigo mesma, exigindo demais de si, culpando a si mesma, colocando-se em situações prejudiciais.

Seu coração é altamente capaz de transbordar sentimentos nobres que facilitarão sua vida, mas, para isso, a mente precisa estar pronta para aquela ajudinha. Ou seja: uma coisa anda melhor quando está de mãos dadas com a outra. Uma verdadeira grandeza nunca será encontrada onde o amor não habita.

Existe uma lei, chamada lei da força do hábito cósmica, que é um método da natureza de fixar todos os hábitos de modo que eles possam seguir adiante automaticamente uma vez que tenham sido acionados. Os cientistas foram capazes de descobrir que a natureza tem um equilíbrio perfeito entre os elementos da matéria e da energia através do Universo. As cinco realidades do Universo conhecidas por nós são tempo, espaço, energia, matéria e inteligência.

A força do hábito cósmica é o meio pelo qual cada coisa vivente se vê obrigada a assumir seu papel e tornar-se parte das influências ambientais dentro das quais vive e se move. Por isso o sucesso atrai mais sucesso, e o fracasso, mais fracasso. Alguém com fracasso pode alcançar sucesso quando está estreitamente ligado a alguém de sucesso, mas poucos sabem que isso só acontece por causa da lei da força do hábito cósmica, que transmite a consciência do sucesso para a mente de quem não é tão bem-sucedido. Então, vale lembrar que, antes de querer estar no meio de pessoas de sucesso, que pensam em sucesso e vibram prosperidade, é bom ajustar a sua mente, porque a atitude mental positiva é silenciosa e invisível, e atrai, por meio de uma lei universal, outras atitudes poderosas de pessoas próximas. São forças intangíveis que atuam no Universo.

Antes de mais nada, é preciso ter consciência do que se quer, para que possa se manifestar. Por isso, é bom começar já a se responsabilizar pelo que quer e pelo que pensa.

Quando aplicamos negativamente a força do hábito cósmica, entramos no que é chamado de ritmo hipnótico. Ele produz efeito hipnótico sobre tudo aquilo com que entra em contato, e esse ritmo é o arquiteto de hábitos de inveja, mesquinharia, vingança e desejo de obter coisas sem dar nada em troca.

Reforçar pensamentos positivos para abastecer sua mente é um hábito que deve ser incorporado no seu dia a dia para que você possa tomar plena posse de sua mente e de sua vida. Quem consegue controlar totalmente a sua mente está capacitado a tomar posse de qualquer coisa que desejar.

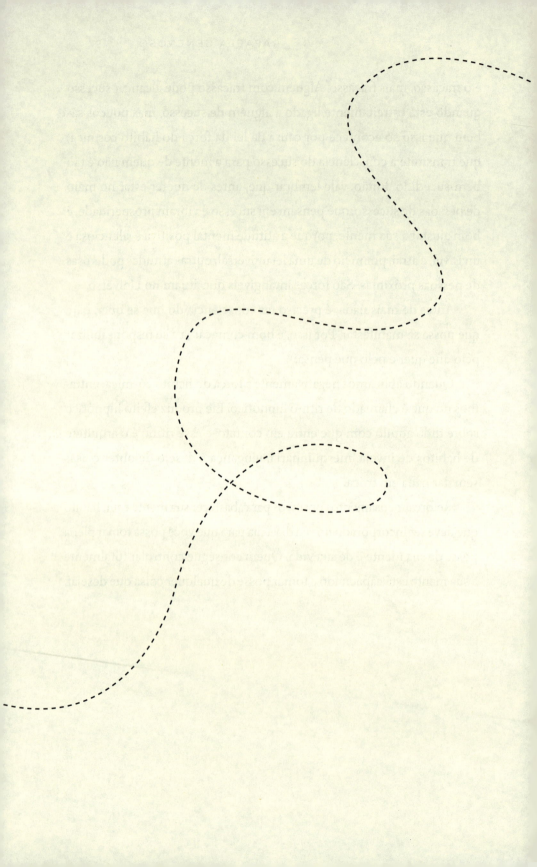

AMIGOS DA PROSPERIDADE

AUTOESTIMA

Em quase todos os programas de televisão ou rádio em que dou entrevista, as pessoas me perguntam como fazem para ter autoestima. Hoje, naturalmente, gosto de me arrumar, cuido de mim por dentro e por fora, mas vou contar uma coisa: nem sempre foi assim.

Minha mãe sempre foi uma mulher muito bonita, arrumada, culta e alegre, e esse misto de energias chamava a atenção onde estivesse. No início do seu casamento, como ela trabalhava muito, todo o dinheiro dela ia para que meu pai construísse nossa primeira casa. Os dois faziam um esforço grande, porque ela ganhava seu salário de professora, morávamos de aluguel em bairros muito simples, e papai veio da roça, onde ele não tinha essa percepção dessas coisas de vaidade, mesmo compreendendo o conjunto completo do belo.

Essa casa seria em Viçosa. Então não sobrava muito para comprar as nossas roupas. Quando a gente ganhava roupa, era aquela roupa comprada em liquidação de banca, e muitas vezes era a mesma roupa que pudesse servir em mim e depois em meus irmãos Vitor e Rodolfo. Ou seja: eram roupas *unissex*, para que pudessem passar de um para o outro.

Eu via as meninas de laço e vestido e me sentia inadequada. Via as minhas primas de São Paulo e Rio de Janeiro no final do ano e eu não tinha nada daquilo. Até que certo dia minha mãe comprou uma roupinha para mim e disse que era da Xuxa. Fui animada contar para as minhas primas, e ouvi uma delas, com aquela sinceridade infantil, escancarar na minha cara:

— Você não está de roupa da Xuxa. Isso é uma roupa feita de pano de chão.

Era nesses eventos que eu entendia que existia uma diferença entre as minhas roupas e as das minhas primas. Nesse período também me lembro das vezes em que tentava esconder o rasgo do sapato com meias da mesma cor, para que ninguém visse que ele estava velho demais de tanto uso.

Mesmo quando eu pedia um novo, via os olhos de meu pai dizerem que não poderia comprar, afinal, tinha outras prioridades. Ao mesmo tempo em que eu entendia aquela realidade, dentro de mim existia um conflito.

O tempo passou, e ainda assim, mesmo as coisas melhorando um pouco, nosso guarda-roupa era coletivo. As minhas, as de meus irmãos e a dos irmãos de criação, Natalia e Tarcísio, que trabalhavam na nossa casa, tudo cabia em um guarda-roupas de madeira de quatro portas.

Em casa eu não sentia nenhuma diferença, mas quando estava com outras crianças, sabia que nossa realidade era diferente. Minha avó era costureira e, sempre que podia, costurava para a gente. Me lembro de que, quando fiquei adolescente, queria uma roupa de ano-novo bem bonita, vestido ou saia, algo que fosse só para mim. Era como um sonho.

Acho que todas as meninas que já assistiram a contos de fada já foram imantadas por esses sonhos de poder vestir as roupas de princesa, aquelas que parecem transformar a gata borralheira em Cinderela.

Nesses momentos, é como se a gente pudesse conquistar o mundo. Lembra a Cinderela, quando a fada madrinha coloca a varinha de condão e a transforma para uma noite inesquecível? Naquela noite, ela se sentiu capaz de conquistar o mundo, e realmente conquistou. Talvez por isso, quando meu desejo não foi realizado e não ganhei a tão sonhada roupa de ano-novo, chorei decepcionada.

Sonhava com vestidos, laços, e vivia encarando um guarda-roupa *unissex* e sem graça que servia tanto em mim quanto em meus irmãos. Meu sonho naquela época era um guarda-roupas da Barbie com roupas, sapatos e acessórios todos combinando, e que eu pudesse escolher o que vestir.

Já não me achava bonita e sabia que não seria a menina mais arrumada. Meu corpo estava esticando muito rápido, estrias brotando na perna, nariz crescendo, meu rosto estava ficando diferente. Minha autoestima era baixa. Naquele cenário todo, tomei uma decisão: já que não dava para ser bonita, eu ia ser inteligente, muito inteligente.

Foi então que, depois de muito esmero e estudo, me tornei a primeira aluna da quinta série. Aquilo ficou estampado não só na memória como também num cartaz gigantesco na escola que fazia com que as pessoas me admirassem.

Meus pais ficaram felizes, e decidi de uma vez por todas: seria a menina mais inteligente de todas. Eu criava o hábito de estudar antes de o professor ensinar e me alimentava com o olhar que os professores dirigiam a mim. Foi aí que eu percebia que eu era notada.

Fui crescendo e, quando ganhei minha primeira calça *jeans*, foi uma festa, eu estava de férias em Minas Gerais. Coloquei uma camiseta, o *jeans* e amarrei um pedaço de pano azul-escuro com flores rosinhas pequeninas na cabeça. Olhei no espelho e pela primeira vez me senti linda! Como não era usual na cidade aquele visual, chamou a atenção, e as pessoas começaram a me olhar com admiração.

Quando percebi que eu tinha parado a praça, não sabia nem o porquê, mas vi que não era tão feia quanto me achava.

A partir daquele dia, comecei a cuidar mais de mim, passar batom, fazer cachos com papelotes, e passei a compreender esse olhar. A autoestima crescendo reverberava em outras áreas, eu me comunicava melhor. Como adorava escrever, chamava atenção por ser criativa. Comecei a escrever roteiros de teatro, atuava, era uma criança que participava das peças e divertia a todos ao meu redor.

Decorava, gravava textos e entendia que aquela era uma forma de aparecer e ser notada com admiração. Então coloquei na cabeça que seria atriz. Nascia uma espécie de liderança, porque os professores entendiam que eu conseguia criar coisas e reunir alunos. Comecei a escrever poesias e percebi que era notada quando as lia. Então, tudo que me fazia ser notada fazia eu investir meu tempo e atenção. Me lembro de que na sétima série participei do concurso de redação da Marinha do Brasil, cujos detalhes contarei depois, mas ali já me desafiava a sonhar mais alto.

Aos quinze anos comecei a me sentir melhor, mas ainda não tinha autoestima elevada. Minha dedicação nos estudos continuava cada vez maior. Ficava até a noite estudando para poder ter resultados que surpreendessem os pais e professores, pois era assim que eu sentia o amor deles. Quando cheguei ao terceiro ano do colegial, os estudos se intensificaram, e, ao passar no vestibular em zootecnia em primeira chamada, minha autoestima começou a se consolidar. Eu sabia que era inteligente, entendia que passava se queria, e logo comecei a fazer estágio com foco em conseguir ser aprovada para ser pesquisadora na iniciação científica e conseguir uma bolsa.

Assim que consegui uma bolsa de pesquisa de R$ 240, depois de muito esforço, me senti vitoriosa e muito feliz e grata a Deus. Aquele dinheiro eu usava para comprar roupas, ir ao cabeleireiro e fazer as primeiras luzes no cabelo. Ali eu poderia investir nas minhas vaidades e me sentir mais independente de novo.

Durante a universidade, eu ia construindo a autoestima, mas sabia que não tinha muita, pelo tipo de pessoas que atraía para relacionamento. Atraía relacionamentos abusivos que queriam me transformar, e eu ia me moldando, queria emagrecer, vivia uma luta constante.

Hoje sei que autoestima não é só estar linda por fora, nem se amar por fora. É se aceitar e se amar independentemente do que o outro fale. Hoje consigo me amar mesmo que quem esteja fora não aprove minha maneira de ser e de me vestir. Amo me cuidar, me ver no espelho e usar roupas que acho bonitas. Sei que é uma embalagem e penso que lindos conteúdos merecem ser bem embalados, e que a embalagem não supera o conteúdo, só que a congruência do interno e externo é uma linda obra de se admirar.

Fui criando uma vaidade e um mimo comigo mesma, porque tinha sido muito tempo sem ter acesso a roupas.

Lembrava-me da minha mãe linda se arrumando para meu pai chegar e a admirava por estar sempre linda para ela e para o meu pai. E isso de certa forma me inspirou. Ainda assim, não foi tão simples essa construção do meu autoamor. Meu cabelo é castanho, mas eu seguia um padrão Barbie, achando que quanto mais claro o cabelo, mais bonita seria. Meu sonho era ser uma Barbie.

Fui crescendo e fazendo um movimento de me cuidar, mas na universidade eu seguia um padrão de beleza e não me aceitava do jeito que eu era. Achava que era bonito ser loira de olho claro, então, queria colocar lentes de contato coloridas.

Minha busca para ser aceita e amada era tão grande que pedi uma lente de contato aos quinze anos, e meu pai disse que não daria uma lente colorida, porque meus olhos eram lindos. Só usaria lente se tivesse problema de visão.

Exatamente um ano depois, tive problema de vista. Só fui usar lentes de contato quando entrei na universidade. Usava e abusava das cores, e só no último ano, quando usei uma lente transparente, ouvi dos meus amigos "nossa, de todas as lentes que você usou, essa é a mais bonita e que melhor combina com você". Naquele dia me harmonizei com a cor dos meus olhos e fiquei comovida. Está tudo bem em usar lentes, pintar o cabelo. O que não pode é se sentir bonita e segura apenas assim, não pode ser uma muleta para você.

Minha autoestima efetivamente só surgiu mesmo quando comecei a me aceitar da maneira como eu era de verdade. Autoestima está diretamente ligada a se amar, a compreender quem somos. Brinco muitas vezes que o ego é o cavalo da essência. Precisamos do nosso corpo para estarmos neste planeta.

O segredo das mulheres que enfrentam a vida com coragem e realizam aquilo que desejam é a autoestima inabalável. Essa autoestima não vem de fora, portanto, nada de olhar para o Espelho Mágico e perguntar "espelho, espelho meu, existe alguém mais bela do que eu?", porque sempre haverá.

A questão é uma beleza interna, que vem da essência.

Exemplifiquei com a cena da Cinderela porque todas nos lembramos de quando ela entra no salão e os olhares se voltam a ela. É desta forma que quero que você se sinta: capaz de transmitir uma energia tão poderosa que ninguém ficará imune à sua presença, e quero que saiba que só conseguirá ter essa confiança quando estiver segura de si e aceitar a si mesma como é: linda e poderosa!

As bases da autoestima são autopercepção, autoconhecimento e autorresponsabilidade. Ou seja: você só é capaz de ter estima por você mesma se tem a percepção exata de quem é, conhece a si mesma e é consciente de que tudo que acontece em torno de você é reflexo de suas ações, comportamentos, atitudes e pensamentos. Quando você sabe que tem responsabilidade pela energia e presença que coloca no mundo.

Nos meus cursos, costumo dizer às alunas que, para prevenir escassez e baixa autoestima, temos que vigiar e orar. Pode parecer uma solução simples, pense bem: ter autoestima vai muito além de colocar uma roupa bonita e sair na rua. Isso seria o mesmo que tomar um remédio para uma dor e não tratar a raiz da dor. Fica-se vivendo um faz de conta de que está tudo bem, para esquecer aquela questão, mas o problema continua enraizado ali dentro.

Estamos entrando numa era em que a transparência vai pautar as relações, e quanto mais à vontade consigo mesma você estiver para colocar a sua cara no mundo, melhor.

Autoestima não tem a ver com maquiagem. Tem a ver com "se vestir de você mesma", com confiança. Com ou sem uso de recursos estéticos para se sentir melhor.

PERDÃO

"Perdoar significa parar de sentir raiva dos outros e de ter ressentimentos por causa de ofensas que você sente que as pessoas cometeram. É difícil ser feliz quando nossa mente está presa a situações passadas que nos causaram dor"

Terry Lyn Taylor

Quanto tempo demoramos para perdoar alguém? Você pode dizer que é simples e que o perdão não custa nada, pode contar que não tem mágoas remoendo seu coração ou que é uma pessoa espiritualizada o bastante para não guardar ressentimentos, só que vou lhe contar uma coisa; estamos aqui, só eu e você, e quero que seja sincera consigo mesma, porque vou me desnudar pra você.

Em primeiro lugar, você tem que saber que existe uma nuvem pesada entre nosso sonho e a materialização desse sonho. Essa nuvem carrega todas as pessoas que não perdoamos. É como se ela ficasse pesada à medida que vamos enfiando mágoas e ressentimentos dentro dela.

Por isso insisto em ter um capítulo falando sobre esse assunto – que rende um livro, mas que é importante –, porque, enquanto não percebermos que essa nuvem está impedindo a materialização dos nossos sonhos, carregaremos ela para sempre e culparemos o destino, a má sorte ou o que for para continuarmos na mesma vidinha mais ou menos de sempre. Essa nuvem é composta de pessoas que não perdoamos, mas que carregamos conosco, como um peso morto com o qual nos acostumamos sem perceber e chegamos a achar normal.

Antes de contar a minha história com o perdão e revelar quanto tempo fiquei aprisionada numa situação que não conseguia enxergar que me mantinha presa, queria falar um pouco sobre o que alguns chamam de "ciclo da realidade".

A PNL ensina que, quanto mais vejo e ouço alguma coisa, mais crio, projeto e sinto. Isso faz com que aquilo se materialize. É como se moldássemos o tempo todo nosso comportamento de acordo com nosso sentimento. Ou seja: antes de falarmos de perdão, quero que você entenda sobre projeção, já que toda situação vai gerar uma tristeza ou uma mágoa, e estas geram necessidade de perdão. Portanto, o início de tudo é o autoperdão, já que nós é que trazemos a maioria das questões dentro de nós mesmas.

Vejo com frequência as alunas chegando a mim com muito estudo, entrando a fundo no desenvolvimento pessoal, buscando pensar positivo, só que não conseguem trabalhar a raiva e a frustração, por exemplo. Se algo externo acontece em suas vidas, as desequilibra totalmente, e elas tentam conter aquela raiva porque acham que sentir aquilo pode prejudicá-las.

Aqueles sentimentos ficam ali como se estivessem dentro de uma panela de pressão. Não saem, mas ficam à espreita, porque muitas delas negam o sentimento acreditando que, se sentirem raiva, não estarão evoluídas o suficiente.

Só que não olhar para um sentimento com medo do julgamento dos outros é a pior coisa que você pode fazer por si mesma. Sabe por quê? Porque a raiva vai estar ali dentro, e inevitavelmente você vai atrair para perto justamente pessoas raivosas, para que possa olhar para dentro. Enquanto você não encarar a sua sombra, vai encontrar desafios que está negando dentro de si para que desperte para eles.

Se nos autorresponsabilizamos pelo que sentimos, trabalhamos a questão da projeção antes da questão do perdão e aumentamos a consciência.

Ou seja: começamos a entender a nós mesmas para trabalhar o que nos incomoda internamente e, a partir de então, parar de atrair situações que possam trazer aquele incômodo à tona.

Logo que começo a trabalhar a questão do perdão com minhas alunas, trazemos insatisfações que estão escondidas em diversas áreas. Desde insatisfações relacionadas a resultados não obtidos em outros programas em que elas se frustraram ou dentro do *marketing* digital, até situações com colegas ou sócios. Começamos a entender que as nossas vibrações são as responsáveis por atrair determinadas situações para nossas vidas e nos conscientizamos de que não adianta pensar positivo e continuar fingindo que ali dentro não tem nenhuma dor. Enquanto não trazemos para fora aquilo que provoca nossa insônia, não conseguimos perceber o mal que podemos causar a nós mesmas.

Mas, afinal, como isso acontece?

Tudo que vemos jogamos para o nosso neocórtex. Quanto mais vemos aquilo, mais percebemos que existem coisas que não estão no nosso controle. É aquele mesmo ciclo de ter uma crença, pensar muito naquilo e trazer uma emoção tão forte que passamos a nos comportar de uma forma determinada.

Esse ciclo funciona assim: vejo, ativo o neocórtex e me conecto com algum padrão de sentimento que pode estar ali dentro e pode ser consciente ou inconsciente. Como a maioria de nós temos coisas recalcadas ali dentro, o cuidado é evitar o que a coloca pra baixo ou baixa a sua energia, já que, se for algo que está mal resolvido e traz uma carga emocional ou situações que não foram trabalhadas, é como se jogássemos um fósforo aceso na gasolina. Tudo fica pronto para explodir com força.

Um exemplo que uma amiga viveu foi de ouvir a vida toda sua avó dizer que não deveria confiar em homens, porque homens traíam. Dentro da realidade da bisavó dela, aquele cenário era real, mas ela cresceu pensando naquela afirmação como uma verdade incontestável.

Na mente dessa mulher, homem trai. Então, ela relaciona tudo a traição – se ele chega atrasado, se conversa com alguém, se curte a foto de uma mulher. Tudo na mente dessa mulher está programado para acreditar que ele irá traí-la, para reafirmar aquilo que ouviu durante a vida toda.

Logo, ela começa a ver cenas em filmes e novelas sobre traição e começa a vigiar o parceiro, sentindo que será traída. De tanto ver, falar e agir como mulher traída, ela passa a se comportar como uma mulher traída. Então, um dia, ela é traída. Nesse dia ela não se dá conta da parcela dela de responsabilidade por aquela situação. Ela não percebe como alimentou durante anos uma crença, como se comportou de determinada maneira, nem como agiu como se aquilo fosse acontecer.

É importante que estejamos conscientes dessa armadilha para que possamos entender que antes do perdão vem a autorresponsabilidade. Somos um retroprojetor o tempo todo e precisamos entender a importância de zelar pelos nossos pensamentos.

Abraham Lincoln foi certa vez criticado pela maneira como lidava com seus inimigos. Ele respondeu à crítica fazendo a seguinte pergunta: "Não destruo meus inimigos quando os torno meus amigos?".

Todos nós já ouvimos que deveríamos amar nossos inimigos, e isso pode ser bonito na oratória, mas na prática não é coisa fácil de se fazer, principalmente quando somos nossa maior inimiga.

Muitas vezes não sabemos disso nem nos damos conta dos ferimentos que causamos a nós mesmas. Somos duras, nos ressentimos com facilidade, nos culpamos quando nos sentimos muito bem e aos poucos nos afastamos do amor incondicional que deveríamos ter por nós mesmas.

O perdão é um ato de amor incondicional muito diferente das desculpas que vemos por aí. Quando perdoamos e não queremos conviver com o outro ou perdoamos e não curamos, é porque aquilo ainda nos incomoda de alguma forma.

Tem aquele que perdoa, se sentindo superior, só para dizer que transcendeu à situação, mas sem entender que, quando a gente perdoa de verdade, está perdoando algo que julgamos em nós mesmos. Entende que vai além de perdoar? Que a cura é amar?

A prosperidade vem de um enorme processo de cura interior, e quando pergunto a você quanto tempo demoramos para perdoar alguém, é porque sei que, na minha vida, o processo de perdão mais demorado que tive durou cerca de doze anos – e eu achava que tinha sido só uns doze meses.

Tudo começou quando terminei um noivado, em 2002, com uma pessoa legal, só que já estávamos tendo desentendimentos na fase de noivado, e ele parecia querer me mudar. Então pensei: imagina quando casar! Encontrarei alguém que me ame assim como sou, e ele merece alguém que o ame como ele é e faça naturalmente o que ele propunha e eu não aceitava. Não me casei; me formei e ingressei no mestrado, que era um dos pontos de discussão no relacionamento anterior. Quando estava nas etapas de conclusão do mestrado naquela tarde, sentada na república onde morávamos eu e meu primo, falei para a minha tia Ângela:

– Estou há mais de um ano sem namorar sério depois do noivado.

Minha tia, intrigada, logo perguntou:

– Você não está com ninguém?

Eu tinha ouvido uma história de que era melhor parar de pedir balinha pra Deus. Queria logo o melhor bombom, o meu bombom caseiro. Fazia tempo que tinha pedido um cara sem vícios, com uma família legal, que me desse valor, e aparentemente tinha alguém no meu radar. Um rapaz me ligando que parecia ser exatamente o tipo de pessoa que eu estava procurando.

– O nome dele é Tarcísio – disse para ela –, estou pensando em chamar ele para uma festa comemorando o fim dos experimentos do mestrado, e sinto que ele tem o que procuro em um namorado. Então ele será meu namorado.

A tal festa seria entre meus familiares e amigos da pós-graduação, e fiz o que tinha pensado. Como a graduação estava de greve, ele estava em Resende, prestes a comemorar o próprio aniversário. Eu em Viçosa, comandando o evento. Nos falamos por telefone e fiz o convite. Ele nem pestanejou, disse que chegaria lá no dia 5 de setembro – a festa seria dia 6.

Desde o dia em que ele chegou, ficamos juntos, por meses. Ali eu já estava num patamar de transparência tão grande que senti a necessidade de ser franca. Simplesmente franca. Num só disparo, soltei a frase:

– Já namorei antes, fui até noiva, não sou virgem e não vou ter relação íntima enquanto não gostar efetivamente de você. Meu corpo é sagrado para mim. Se você ganhar meu coração, pode ter direito a conhecer o resto.

Me lembro de cada linha de expressão do rosto dele se transformando com aquela frase. Arregalou os olhos, mexeu os lábios e tentou balbuciar alguma frase, sem conseguir dizer nada, e após um aparente engasgo ele falou: "Está tudo bem, eu aceito e sei que em breve isso acontecerá naturalmente".

Logo veio a possibilidade da relação íntima. Com aquela proximidade, uma nova surpresa: expliquei que não podia tomar remédios, já que meu corpo não se adaptava aos anticoncepcionais, e disse com todas as letras:

– Na minha família, primeiro a gente casa e depois a gente tem filhos.

Ainda não tínhamos nem sequer nos tocado, mas as regras estavam claras para que o jogo começasse. Ele concordou imediatamente que, se porventura algo acontecesse, ele se casaria comigo, e combinamos o uso do preservativo. Já havia um pré-combinado.

Quem me conhecia sabia que eu era uma jovem determinada e que sempre fui muito transparente e comunicativa. Aliás, desde pequena conseguia o que queria, era só colocar na mente e determinar. Me lembrava bem de que aos onze anos, quando tinha percebido que a mente tinha uma espécie de superpoder, fazia tudo para conquistar o que queria.

Minha maior lembrança da época era quando tinha desejado ganhar um concurso de redação do estado do Espírito Santo pela Marinha do Brasil. Ganhei o concurso estando na sétima série e concorrendo com alunos de séries superiores. Fiquei em primeiro lugar no Espírito Santo e depois em segundo lugar de todo o Sudeste brasileiro. Assim, via que muita coisa ocorria exatamente da maneira que eu gostaria e, quando entendi que criar realidade era uma coisa que funcionava, eu fazia tudo. No entanto, certas coisas saem do nosso controle. Aí nasce o sofrimento.

Tudo começou com um aviso, daqueles que chegam em sonho. Eu sabia que isso existia, minha mãe já tinha me contado de muitas visões em sonhos, eu até tinha alguns sonhos com avisos, só que ainda não tinha vivenciado nada tão forte. Estava com 25 anos, passeando em Resende, quando uma criança que se apresentava como Maria Clara chegou até mim dizendo que já estava na hora de ela vir. Esse era o nome que eu havia escolhido, com doze anos, para a primeira filha que eu teria; eu tinha guardado o nome dela escrito num papel em um cofre da família, dizia que era para ninguém copiar e que ela seria meu tesouro.

Como minha mente não estava preparada para aquilo, dei de ombros e continuei minha vida. Era madrugada do dia 30 de agosto de 2006 e eu acordo suada e apavorada e chorando, Tarcísio do meu lado acorda e não entende nada. Não tive coragem de contar o sonho, afinal, naquela manhã, seria sua prova de Física 2 e ele precisava de boas notas para se formar. Foi o sonho que persistiu me avisando de que minha vida iria mudar e que eu tivesse força e fé: dessa vez, era uma mulher que dizia que eu já estava grávida e que enfrentaria períodos difíceis.

Tentei esquecer o sonho, mas a impressão e o sentimento causados por ele ainda eram fortes demais para que eu ignorasse. Na manhã daquele dia, fiz as contas e a menstruação estava atrasada fazia cinco dias. Já havia atrasado uns doze e eu não tinha me preocupado, mas ali havia aquele sonho, que parecia muito real. Senti que era hora de fazer um exame, e como nunca precisei passar por isso, já fui logo fazer o de sangue. O resultado era preciso: eu estava realmente grávida. Saí do laboratório em prantos e fui direto para a república do Tarcísio, que era a alguns metros dali.

Contei ao Tarcísio, em prantos. Ele estava perto de se formar. Diante do meu desespero, ele respirou fundo, e decidi que contaria para meus pais – seria só o tempo de tomar coragem. Não conseguia mentir para eles nem omitir nada importante, por isso esse respiro foi de três dias, até o final de semana chegar.

Meus pais estavam no aniversário da minha tia Cidinha, e eu e Tarcísio dentro do carro, na roça, esperando eles voltarem. Quando chegaram, nos reunimos no quarto dos meus pais, quando soltei, impaciente e nervosa:

– Tenho algo difícil e triste a contar. Queria pedir desculpas pela decepção que vou causar a vocês.

Os dois ficaram se entreolhando, e minha mãe mostrou-se preocupada.

– Você está doente?

Respirei fundo e revelei que estava grávida. Para meu espanto, ela deu risada.

– Ruim seria se você estivesse doente.

Então, veio a pergunta fatídica:

– Mas vocês se amam, né? Vão se casar? – meu pai perguntou, como quem constatasse o óbvio.

Imediatamente a frase do começo do nosso namoro veio à mente. Achei que aquilo era óbvio, por causa daquele combinado de um ano antes e pela ótima relação que tínhamos.

No dia seguinte, viajamos para a casa dos pais dele, era 3 de setembro de 2006, o seu aniversário. Fomos para Resende. Assim que ele encontrou a mãe, desabou:

– Eu vou ser pai.

Meu coração se despedaçou. Vê-lo emitindo tristeza na voz embargada ao comunicar que teria um filho era incômodo e gerava um sentimento inexplicável. Tentei fingir que aquela expressão não tinha mexido comigo. Em vão. Meu íntimo estava devastado, e a dor começava a me corroer por dentro.

Quando voltei para casa, cinco dias depois, dei de cara com a minha mãe fazendo cotação de convites de casamento e já com as primeiras peças compradas para o enxoval do neném. Além da dor de saber que não haveria casamento, porque ele não estava preparado, eu sentia a dor da frustração. Explicar aos meus pais que aquele sonho não seria realizado era mais do que eu podia suportar.

O sentimento era de impotência diante da vida. Eu não conseguia controlar nada, nem criar a realidade que eu tanto queria. Não tinha o pai da criança ao meu lado, sentia que ele estava com medo do que estava por vir e me via sozinha diante do mundo.

As lágrimas vieram com força. Foram três meses de tristeza absoluta e choro diário. Meu coração parecia endurecer e esfriar. Para estancar a dor, eu tentava pensar no bebê que estava gerando, e em alguns momentos aquilo era uma amostra do sofrimento que viria pela frente. Quando estava diante dos olhares das pessoas na rua, que encaravam minha barriga como dizendo que eu tinha sido promíscua, já que não ia me casar com o pai da criança, deixava que os olhares dissessem mais que as palavras e sentia a agressão em todo o meu corpo.

O Tarcísio cuidava da sua vida pós-formatura. Estava de mudança para a casa dos pais e ia estudar em outra cidade. Eu sentia aquele ato como uma rejeição implacável. Era meu orgulho ferido falando mais alto. Minha doce ilusão de que o casamento seria a ponte que nos uniria tinha sido o amargo gosto de um "até breve" quando ele partiu.

Emocionalmente instável, vivi a gravidez sentindo o peso do corpo e das emoções. Antes que ele pudesse chegar para acompanhar o parto, ela nasceu. Embora a presença dele fosse constante, eu me sentia desonrada, machucada, e internamente, mesmo o amando, eu o culpava por aquele sentimento e pela tristeza dos meus pais.

Naquela época eu não tinha a mais vaga ideia de que o que eu vivia era um "não amor" por mim mesma e continuava alimentando uma mágoa que inconscientemente só crescia em mim, assim como a Maria Clara.

Nos mudamos para outra cidade e estado – eu e ela, porque decidi trabalhar em uma empresa. Ele apareceu para passar o verão conosco. Ali a babá, que tomava conta dela naquele primeiro mês em que eu estava lá trabalhando, nos abandonou. Eu estava numa sinuca de bico, não tinha quem cuidar dela e ninguém queria me dar referências de outra pessoa para fazer o trabalho. Ela ainda não tinha idade para estudar em escola em tempo integral, e eu trabalhava o dia todo. Pedi que ele me ajudasse a observar uma nova babá, para ver se trataria bem a nossa menina. Ela estava provisoriamente na casa de uma senhora que cuidava de mais três crianças enquanto eu trabalhava, e queria alguém para cuidar dela lá em casa. Foi ali que ele me deu a notícia de que iria fazer mais uma especialização em Belo Horizonte e depois voltaria.

Naquele momento, surtei. Precisava muito dele ali, e a Maria também. Foi ali que dei um ultimato: disse que precisava dele como pai e que, se não ficasse ali para nos ajudar quando precisávamos, que ele fosse embora. Quando ele decidiu ir, meu coração sangrava por dentro. Era uma dupla rejeição que eu não digeria. Rompemos, e decidi que seria uma mulher bem resolvida da qual minha filha teria orgulho.

Esse período sozinha durou pouco: logo um ex-namorado surgiu para dizer que não ia me deixar escapar. Quando percebi, já estava namorando – e com um pedido de casamento. Ele queria assumir minha filha e me assumir como esposa. Era inteligente, educado, mas eu o comparava ao Tarcísio com tanta frequência que isso me fazia perguntar se realmente gostava dele.

Nessa época comecei a fazer Abordagem Indireta do Inconsciente, uma terapia que me fazia voltar ao inconsciente e buscar o autoamor. Numa das sessões, uma surpresa me deu um sinal de alerta. Eu via uma luz verde no útero de minha mãe. Quando perguntei o que aquilo significava, veio a resposta, como um aviso:

"Leve sua mãe urgente ao médico".

Foi justamente depois disso, dessa visita ao médico, que ela percebeu que um ovário estava maior que o outro. O diagnóstico do câncer veio a seguir como uma das notícias mais difíceis que nossa família teria ao longo da vida.

Em casa, com a filha pequena, trabalhando, enquanto minha mãe cumpria a jornada de quimioterapia, eu estava vulnerável, mas encobria a vulnerabilidade com a entrega de excelentes resultados aos meus contratantes. Era uma profissional extraordinária que entregava em dois meses o que era esperado em dois anos, e isso me dava certo grau de satisfação. Eu trabalhava para tentar não pensar.

Até que um dia encontrei Tarcísio, que tentou me beijar. Enchi a boca para dizer que estava namorando e que não ia trair meu namorado, mas meu coração me traía, porque eu sabia que estava enganando a mim mesma.

Então, decidi tomar uma decisão. Não tinha ideia do que fazer, nem se deveria continuar no relacionamento com o namorado. Por isso, fui à igreja e pedi um sinal. Antes de comungar, pensei: se for para eu continuar com esse namorado, vou receber uma hóstia. Se for para voltar com Tarcísio, recebo duas. Por mais incrível que possa parecer essa história, eu jamais tinha recebido duas hóstias, só que naquele dia, recebi. E isso me fez terminar o namoro.

Nesse período, diante do tratamento da minha mãe, fragilizada, eu pretendia ficar sozinha, mas a vida se encarregou de me colocar diante do Tarcísio novamente. Embora ele quisesse uma relação, eu não queria retroceder para uma relação sem muito compromisso. Assim, decretei que ficaríamos juntos se casássemos, e quando ele me pediu em casamento, eu o puni:

– Aceito noivar. Depois decido se caso com você.

A vida parecia estar entrando novamente nos eixos quando, durante um banho, passei a mão no seio e senti algo estranho. Parecia um grande caroço. Em alguns segundos, toda a minha vida passou feito um filme diante de mim. Minha mãe e sua luta contra o câncer (ela tinha feito sua última sessão de quimioterapia), minha filha, que precisava dos meus cuidados, e a possibilidade remota de ter alguma coisa inesperada dentro do meu corpo.

Chamei a Marry, uma amiga de infância, para que fosse comigo ao médico dizendo que estava com vergonha, mas na verdade eu estava com medo de ter algo ruim. Era como um alerta vermelho piscante na minha mente dizendo que alguma coisa tinha saído mais uma vez do meu controle.

Logo que chegamos lá, percebi que tudo tinha ganhado proporções maiores do que eu poderia imaginar. A mágoa, inclusive. Cristalizada em forma de um cisto, tumor ou algo que ninguém sabia explicar o que era, ela aparecia no ultrassom e escancarava tudo aquilo que eu tentava esconder.

Diante da possibilidade de morrer ou ser engolida por aquilo, recuei. Meu pai soube da notícia e foi comigo fazer a biópsia. Acompanhou com olhar atento ao médico que perguntava onde eu continuaria o meu tratamento. Mesmo sem saber o que existia ali, ele dizia com frieza e determinação: "Está grande e espalhado. Não temos dúvida que existe, mas vamos confirmar o tipo de material".

Aquele "material" ao qual ele se referia eram as células do meu corpo. Aquele material eram meus sonhos, meus sentimentos, meus medos. Era parte da minha mãe, do meu pai, da minha família. Aquele material era minha história.

Cheguei em casa com a sensação de que havia algo maior por trás daquilo tudo. O ultrassom queria me mostrar algo que eu não queria enxergar. Comecei a fazer visualizações, orações, e me foi dito que era necessário fazer uma cirurgia para tirar parte da mama. Como eu ia me casar, resolvi esperar.

Nesse período, decidi que olharia para mim e conversaria com meu corpo. Já tinha aprendido que poderia falar com ele no módulo de PNL, que poderia inclusive falar com as células. Quando virei para o meu seio, me enchi de coragem e fiz a pergunta:

– Como isso se construiu em mim?

A resposta era clara. Aquilo era tristeza, era palavra calcificada, dor endurecida, mágoa cristalizada. Tudo aquilo tinha nome e sobrenome e nascia de causa vivida. De medo, de frustração. De um inconsciente dizendo o tempo todo que eu podia ganhar atenção se estivesse doente.

Aquela conversa me fazia lembrar das palavras de Emmet Fox, que dizia que, quando a gente guardava ressentimento contra alguém, ficava ligada a essa pessoa por um elo cósmico, um gancho mais forte do que o aço. Eu sabia que isso tinha um efeito como uma bola de neve na minha mente, que incorporava mais neve enquanto rolava encosta abaixo. Sabia que o que a gente guardava sem a força do perdão ganhava cada vez mais força dentro da gente.

A consciência vinha com o susto, com aquela conversa íntima, com a revelação que meu corpo trazia, feito uma carta escrita pelo Universo dizendo para eu ter cuidado.

Eu sabia que a mente criava e a mente curava, então tratei de estudar o assunto. Já tinha estudado fisiologia no mestrado e com clareza eu imaginava os comandos para as células. Conversava com os leucócitos, os macrófagos e imaginava eles fagocitando e comendo o cisto. Embora parecesse papo de louca, fiz durante seis meses a mesma imagem mental durante as conversas.

Só que o que ia dissolvendo a mágoa formada dentro de mim era justamente o perdão e o amor. Já retomado o relacionamento com Tarcísio, eu tinha tomado uma decisão de que ninguém teria o poder de me fazer adoecer, eu não daria essa permissão. Com isso, comecei um processo de autoperdão, para perdoar a mim e perdoar a ele.

Mesmo sem a consciência que tenho hoje, comecei esse movimento intuitivamente e comecei a me curar. Depois de algum tempo, voltamos a morar juntos, e eu precisava lutar com meu inconsciente para não ouvir a voz interna dizendo alguma coisa.

Nesse processo de perdão, fui fazer minha segunda formação em *coaching* e me dei conta de que fazia muito tempo que eu não ia ao médico. Sem avisar ninguém, exceto meu chefe, resolvi marcar uma consulta.

A médica olhou para o ultrassom, deu um sorriso e disse contente:

– Se você não trouxesse o outro exame, eu diria que era mentira.

O tal tumor tinha reduzido de tamanho em 80%.

Consciente desse processo, comecei a trabalhar ainda mais fundo o autoperdão, e enquanto via minha cura, enxergava minha mãe. Mesmo após seis anos de pausa da doença, via-se novamente às voltas com cirurgias e tratamentos, voltando a ficar debilitada.

Junto com o perdão absoluto e com o amor incondicional, veio a Serena, minha segunda filha. Com esse perdão, passei a viver de forma plena. E posso afirmar a você que, seu eu não tivesse o conhecimento aprofundado que tenho, já teria achado que já o tinha perdoado plenamente quando voltei para ele e aceitei casar, só que conhecer as profundezas da mente e do ser nos dá uma visão ampliada.

Por isso, depois de contar toda essa jornada a você, desafio-a a responder aquela pergunta que fiz no começo do capítulo: quanto tempo demora para perdoar alguém? Às vezes as pessoas que mais amamos são as mais difíceis de perdoar. Entenda que perdoar o outro é apenas uma ilusão. Só conseguimos perdoar a nós mesmos no outro, porque fazemos o outro culpado pelo que causamos a nós mesmos. Agora saiba que, sim, é possível perdoar verdadeiramente bem rápido, transcendendo o perdão e vibrando o amor incondicional.

AUTOAMOR

"Você pode repetir centenas de vezes afirmações positivas do tipo 'as pessoas me amam' ou 'irei me curar do câncer'. Se aprendeu desde criança que não pode ser amado ou que tem saúde frágil, essas mensagens programadas em sua mente subconsciente vão fazer cair por terra todos os seus esforços para modificar sua vida"

Livro Biologia das Crenças

O equilíbrio da Vida Divina é um autoamor imenso, e se você acha difícil entender quando a mulher está deixando de se amar, espere só até saber disto: quando observo os sintomas que acometem as mulheres com múltiplas jornadas, inevitavelmente vejo um padrão. São tantos papéis acumulados, tais como mãe, mulher e profissional, que a mulher não percebe que tem algo errado quando começa a mudar o padrão de sono, de humor, de apetite, de peso, ou perceber certas dores. Muitas delas começam a ingerir bebida alcoólica com mais frequência ou gastam demais para compensar o vazio emocional.

A pergunta é: quais são os motivos que fazem a mulher se sentir impotente, desestimulada, e que se refletem em seu bolso e na aparência? A resposta é simples: falta de autoamor.

Estamos tão acostumadas a nos doar para os relacionamentos em geral que nos esquecemos de entregar o melhor para nós mesmas. A mulher moderna sofre por diferentes motivos. Muitas fazem o que não amam, outras fazem aquilo que amam e não são bem remuneradas por isso, ou até ganham uma boa remuneração, só que sentem que é muito menor do que a entrega de excelência que elas fazem.

Quando estamos em harmonia, damos o melhor para nós mesmas. Cuidamos do corpo, da alimentação, dos hábitos, e só aceitamos aquilo que achamos que merecemos. Nada menos que o melhor. Você pode duvidar, mas prosperidade e boa forma são sintomas de equilíbrio entre mente, emoções, corpo e alma. Ser próspera é estar bem consigo mesma.

A abundância extrafísica é percebida pela leveza emocional, diminuição de conflitos, facilidade para fazer novos amigos, sentimento de gratidão crescente, sensação de alegria constante. É quando estamos fluindo no fluxo da prosperidade.

A abundância física é riqueza material, quando percebemos aumento no faturamento, aumento do patrimônio, passamos a trabalhar por amor e não mais por necessidade, conquistamos liberdade financeira, doamos mais (tempo, dinheiro, energia), ganhamos mais prêmios, reconhecimento, dentre outros.

Quando atingimos esse estado, além de reduzir a fome emocional e social, passamos a cuidar mais de nós mesmas, passamos a focar em colocar o corpo em movimento por meio de atividades físicas, pois sabemos que vida é movimento. Também temos condições para investir em procedimentos estéticos, sem ter peso na consciência, nos permitindo esses mimos, pois nesse estágio compreendemos a importância de nos amarmos profundamente, e cuidar do nosso corpo é tão importante quanto cuidar da nossa mente, alma e emoções. Afinal, amamos o outro na medida e intensidade em que nos amamos. Isso foi dito pelo próprio Jesus: "Amai ao teu próximo como a ti mesmo".

O amor é a solução para tudo, e quando amamos a nós mesmos, temos alegria, porque não queremos perturbar nosso estado com depressão, porque cultivamos um saudável bom humor, otimismo, esperança, coragem, inocência na alma, e temos a responsabilidade de ajudar o outro a encontrar o amor verdadeiro por si, porque sabemos que são essas energias de que necessita a humanidade.

Deveríamos ser mais severas com nossas tendências autodestrutivas e entender finalmente que a Lei Fundamental do Universo, base de todas as outras, é o amor. Simples, singelo, natural; apesar disso, não é fácil vivenciar; para isso existe a evolução. Evoluir significa aproximar-se do amor. Os seres mais evoluídos experimentam e expressam mais amor. A verdadeira grandeza dos seres está determinada unicamente pela medida do seu amor.

A única barreira que impede e freia nossos melhores sentimentos é o ego, uma ideia falsa a respeito de nós mesmas, aquela voz que ouvimos na nossa mente e que, sem percebermos, nos leva a caminhos tortuosos, mesmo que aparentemente sejam divertidos no começo. Quanto maior o ego, mais pensamos que somos melhores que os demais. O ego nos faz sentir medo, raiva, orgulho, assim como nos dá uma aparente autorização para excluir, desprezar, fazer mal, separar, dominar e utilizar os demais.

Se o mundo fosse regido pelo amor, encontraríamos a felicidade na parte de dentro. E quando nos vestimos com o amor, é como se estivéssemos com a alma vestindo uma roupagem brilhante que é facilmente detectada e sentida por quem está em volta. Essa cor traz uma força que provoca a felicidade e eleva a vibração do todo, já que o amor é a energia mais alta do Universo, e é por meio do amor que podemos transformar tudo.

Quando estamos diante de alguém que parece desagradável, pode ter certeza de que ali falta amor em alguma área da vida – certamente há uma ferida por uma percepção de desamor em algum tempo. Por isso, o autoamor é como ter a capacidade de gerar amor sem depender do outro, e quando tenho esse autoamor, ele reverbera e encontra morada no outro, fazendo com que quem o gera o receba de volta. Assim, torna-se a mais elevada forma de fé.

Explicando em miúdos: quando amamos a nós mesmos, somos felizes e nos sentimos completas, e assim somos capazes de irradiar energias altas – por isso o amor é a fonte inesgotável de poder. Quando somos infelizes, geramos energias ou vibrações baixas. O que ocorre é que muitas pessoas não compreendem o que é o amor. Elas confundem amor com posse, com sexo, com laços familiares, com carinho, e não experimentam realmente esse puro sentimento.

Para saber em que estado você está vibrando, comece procurando clareza do seu estado atual – e não pense que a área financeira está desconectada do amor.

Quando você está transbordando amor, consegue administrar bem o valor que faz de dinheiro, o que gasta, está com saúde física e emocional e se relacionando bem.

Se você anda reclamando do que não tem, fortaleça a sua fé. Quanto mais se agradece, mais a graça desce. Crie uma profunda relação de amor consigo mesma. Isso mesmo, case-se com você, se respeite, se ame a cada dia mais.

Com esse amor todo, você ganha autoestima e previne a escassez. A seguir, vou explicar como fazer isso.

"Encontrarás pelo teu caminho aqueles que queiram te ferir, mudar os teus conceitos e crenças sobre o mundo, no entanto, se já conquistaste a chama do amor, nada poderá apagá-la de dentro de ti"

GRATIDÃO

Foi um desafio muito grande eleger uma história de gratidão para compor este livro, já que hoje a gratidão é um estado natural dentro de mim. É quando sinto que, mesmo quando algo acontece e aparentemente é ruim, consigo assimilar o aprendizado e ser grata.

Na primeira semana de janeiro de 2007, estava pronta para ir trabalhar na empresa gerida pelo meu pai. Tive uma reunião com um consultor da empresa que era um empresário no ramo da contabilidade.

Estava diante dele, ele me perguntou sobre a minha trajetória e como eu esperava contribuir para a empresa, e eu disse que esperava contribuir para fazê-la crescer porque sabia o desafio que tinha sido para os fundadores conquistarem tudo aquilo.

Ele perguntou:

– Que tipo de trabalho você faria?

Respondi que faria qualquer trabalho, desde que pudesse ser orientada do que iria fazer.

Ele perguntou:

– Qualquer coisa mesmo?

Respondi:

– Qualquer coisa, desde que me dê tempo e suporte, vou conseguir fazer. Não tenho dúvida.

Eu já tinha uma autoestima inabalável e sabia que poderia aprender qualquer coisa com dedicação.

Logo que entrei, fiquei um mês levantando tudo sobre a empresa, os dados, por que eles tinham contratado alguém, e em dois meses consegui fazer um trabalho que ninguém tinha feito em dois anos. Ele disse que a empresa tinha um setor de pessoal, mas não um departamento de recursos humanos, e me convidou para implantá-lo e assumi-lo.

Por que digo isso? No ano de 1998, quando fazia meu terceiro ano científico, tinha certeza na alma de que ia estudar na área de humanas e que tinha nascido para aquilo.

Eu queria fazer Comunicação Social e Jornalismo, e não tinha na universidade federal em Viçosa na época, então decidi fazer Direito. Só que, em um episódio no qual conheci uma advogada, enquanto ainda era jovem, me deparei com uma mulher arrogante que me disse que eu não deveria chamá-la de tia, e sim de doutora. Eu queria estudar para ser artista, e não tive suporte em casa.

Então escolhi zootecnia, porque sabia que era algo de que meu pai gostava, e inconscientemente tinha a necessidade de ser amada. No meio do curso, pensei em desistir, por diversos motivos, mas também vieram aprendizados. Fui aprendendo a lidar com todos os públicos, desde o de cunho acadêmico até os agricultores.

Eu não queria desistir, para não parar na metade – e não desisti.

Anos depois, me deparei com aquele desafio de assumir o departamento de recursos humanos da empresa e aprendi a jogar jogando. Aprendi a trabalhar literalmente colocando a mão na massa, com a oportunidade que eu tinha tido na época.

Quanto mais observava o comportamento humano, mais eu estudava PNL, *coaching*, e me interessava em saber. Minha pergunta era como ajudar mais as pessoas a serem melhores e gerarem os seus melhores resultados.

Conforme trabalhava, eu me sentia mais grata aos fundadores da Emflora que tinham estruturado a empresa, e ao Wilian Zanni, que tinha descoberto a minha potencialidade para trabalhar naquela área. A maior escola que tive sempre foi o mundo. Nunca foi teoria.

Por isso, quando penso em gratidão, penso sempre nas pessoas que me deram oportunidades na vida, mesmo quando eu teoricamente não era capacitada para assumir o posto. Penso em como podemos crescer como seres humanos tendo a chance de provarmos o quanto somos capazes, e eu teria aqui milhares de histórias sobre gratidão que me levaram a sentir essa explosão dentro do peito.

Ao longo da vida, fui aprendendo que não poderiam existir momentos ruins. Existiam desafios que precisavam de saltos de fé. Só com os tais saltos seríamos capazes de transpor os obstáculos e chegar ao outro lado, onde conseguiríamos enxergar as bênçãos e graças que nos foram apresentadas com a forma do desafio.

Se hoje você me perguntar o que é gratidão, digo que é um estilo de vida. Hoje enxergo tudo com esse filtro, agradecendo pelo que tenho, ao invés de enxergar o que não está de acordo com o que meu ego acha que seria viável.

Experimente fazer uma lista, a partir de hoje, com todos os motivos que nos levam a agradecer, ao invés de pedir.

Experimente e depois me conte.

O BÊ-Á-BÁ DA PROSPERIDADE

Agora que você entendeu que, para transformar a sua vida, é preciso transformar a si mesma, entraremos na parte II deste livro, com as leis que podem favorecê-la, as travas que podem empacar essa jornada e o que há de moderno e de científico para nos conduzir nessa aventura.

Em primeiro lugar, gostaria de familiarizá-la com algumas palavras e expressões que vou usar com frequência, mas que podem não estar presentes no seu dia a dia e serão importantes para que possamos seguir adiante.

Vou falar um pouco sobre frequência original, que é a vibração da alma quando expressa por meio do corpo, das emoções e da mente, que expliquei nos capítulos anteriores. Quando estamos na nossa frequência original, temos experiências que nos propiciam experimentar o que chamo de Céu na Terra.

Portanto, num processo de arrumação de frequência, "descartamos" pessoas, situações e oportunidades cujas vibrações não combinam com a nossa frequência original, liberando-as, desenvolvendo por elas o amor incondicional e substituindo-as no dia a dia por convívio com pessoas, situações e oportunidades que combinam com a nossa alma.

Sendo assim, para aumentar a frequência, geralmente expandimos o campo pessoal, que é uma energia sutil que nos cerca.

É por meio do campo pessoal que sabemos como anda a vibração pessoal de alguém.

Vida Divina, ou Céu na Terra, é quando nossa alma está plenamente integrada com nosso corpo, emoções e mente. Nesse momento alcançamos uma frequência alta que nos faz encontrar talentos ilimitados, fluxo de energia abundante e harmonioso, senso de oportunidade perfeito, e começamos a fazer aquilo que nascemos para fazer.

Desde pequena, quando a Dona Maria Angélica fazia as visualizações dela e nem dava esse nome para elas, eu sabia que existia um poder mágico e desconhecido que trazia uma força para as pessoas. Algumas vezes ela tinha sonhos e eu também os tinha, me deixando ainda mais impactada com as revelações que esses sonhos traziam. Às vezes ela tinha visões. Visões que ela própria construía com base no que queria de melhor para os filhos.

Hoje, quando prego o amor incondicional para que as pessoas consigam criar realidades que desejam com a alma, me inspiro muito na minha mãe, que, sem estudar essa realidade, tinha todo o embasamento do mundo para criar a Vida Divina na Terra.

A gente só cria a realidade que quer com amor. Você deve ter percebido a bagunça que fica nossa vida quando a gente se culpa, se enche de remorso ou de mágoa.

Mas por que estou falando isso?

Porque quero que você saiba que existem fundamentos consistentes por trás de tudo que falo. Não estou de curiosa falando no Instagram sobre dinheiro e riqueza. Falo de prosperidade depois de estudar muito sobre física quântica, neurociência, hipnose, PNL... e depois de tanto desbravar esse universo, percebi que há, na atualidade, grandes transformações na área das ciências, da filosofia, da física, da biologia, da presente psicologia, da religião, do jornalismo, da política, da justiça, da consciência, dos sentimentos, da informação, da ética, da estética, em todos os setores do conhecimento humano, no que diz respeito ao aumento da necessidade do ser humano de questionar-se, posicionar-se, conhecer-se e assim aumentar a própria lucidez de consciência, melhorar a si, ampliando a possibilidade de autoenfrentar-se mediante a autoevolução e a autopesquisa.

Hoje já falamos sobre uma nova biologia que capacita o ser humano a prevenir doenças, aumentar longevidade, facilitar a comunicação mental.

A psicologia moderna, a neuropsicologia, neurociência comportamental, e agora a psicologia quântica fazem a gente perceber que existe algo além do Céu e da Terra. Quando você se depara com uma aparentemente inofensiva sincronicidade que a leva para alterações no seu destino, é porque está alinhada com o Universo e ele está agindo a seu favor.

São inúmeros os conceitos, as descobertas, e eu poderia ficar aqui durante horas enumerando nomes complexos para embasar tudo que pretendo contar neste livro. A questão é que venho aqui para simplificar, e não para complicar. Tudo que você precisa saber é que, além de estudar conceitos complexos, apliquei todos eles na minha própria vida antes de escrever este livro.

A vida é muito mais que intelecto. Podemos acumular anos de conhecimento, mas nada traz tanto aprendizado quanto praticar e passar o conhecimento adiante. É por isso que, na segunda parte deste livro, trago os pilares da prosperidade, as travas da riqueza e tudo aquilo que você precisa saber e colocar em prática para transformar a si mesma e os resultados que vem obtendo em sua vida.

Somos todas porque somos uma. Vamos juntas.

PARTE 2

PILARES DO MÉTODO

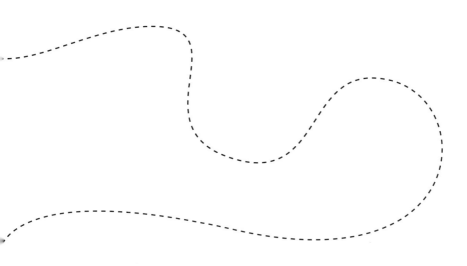

AS OITO LEIS ESSENCIAIS DA PROSPERIDADE

LEI DA ATRAÇÃO MAGNÉTICA

Você já deve ter assistido ao famoso filme "*O Segredo*", ou lido o livro, que conta sobre a lei da atração. Na época, muito se falou em pensar positivo, criar realidades, e embora o termo tenha se popularizado, poucas pessoas de fato entenderam como funcionava.

Vou começar pelo caminho inverso: uma história de uma amiga que vivia tendo problemas com o trabalho. Ela reclamava constantemente dos chefes, brigava muito com todos eles, dizia que eram intransigentes e nervosos e que não conseguia prosseguir com o trabalho. De longe, quem a visse lamentando certamente a colocaria como vítima das situações. Ela parecia estar sendo injustiçada.

Começamos a nos aproximar e inevitavelmente percebi que as atitudes dela, tanto com os pares quanto com seus subordinados, era pior do que as que ela relatava. Isso para exemplificar o óbvio: muitas vezes reclamamos do que atraímos, mas não percebemos o que estamos emitindo ou qual comportamento estamos tendo.

Da mesma forma nos relacionamentos: quando estamos tristes e depressivas, mesmo que busquemos um relacionamento saudável, atraímos um parceiro triste e depressivo. É a lei que estuda o porquê de semelhante atrair semelhante.

Não adianta querer algo e vibrar em outra sintonia, porque você atrairá exatamente aquilo que está vibrando, e não o que seu pensamento deseja. Se você estiver atraindo só tranqueira para sua vida, olhe para dentro de si e faça a pergunta: por que estou atraindo esse tipo de pessoa ou situação para mim? O que estou sentindo? Foque em observar o sentimento que está tendo; nele mora a mudança de vibração.

Quando começamos a estudar sobre o vácuo quântico, entendemos que o vazio é pleno de potencialidades, e à medida que inserimos crenças e acreditamos em determinadas coisas, criamos nossa realidade.

Só que não é assim como um piscar de olhos. Primeiro temos que acreditar que aquilo é uma verdade. Um exemplo clássico: uma amiga sonha com um relacionamento incrível. Ela quer encontrar o parceiro dos sonhos, ter a vida que pediu a Deus, e vive suspirando acordada quando pensa em criar aquela realidade, mas, dentro dela, não acredita naquilo como verdade. Ela não se acha merecedora de um relacionamento saudável, acredita que homens são todos iguais e repete crenças de sua mãe e avós a respeito dos homens. Ou seja: embora ela queira um relacionamento, ela vibra de outra maneira que afasta o relacionamento ou parceiro que quer encontrar.

Muitas mulheres se sentem da mesma maneira. Desejam conscientemente, mas suas crenças contradizem o seu querer, logo, a vibração que elas emitem não condiz com os pensamentos que criam.

Se o que acredito como verdade modela meus pensamentos, penso sobre o que acredito e, a partir desses pensamentos, gero um padrão de sentimentos. Essa é a chave dessa lei. Não adianta nada pensar uma coisa e sentir algo contrário.

Muitas pessoas estudam a lei da atração e falham porque esquecem a parte dos sentimentos. Essas pessoas não entendem que, quando entra a emoção, entra uma mudança na vibração em hertz. É como se sintonizássemos o aparelho na estação de pagode quando queremos ouvir música clássica. Naquela rádio não vai tocar música clássica, mesmo que você queira, porque a sua sintonia está na estação do pagode.

Entende que precisamos ajustar o que sentimos para atrair o que queremos? Muita gente tem desejo intenso e não coloca emoção. Você precisa entender de uma vez por todas que modular e moderar a vibração é a chave.

Repita comigo todos os dias: semelhante atrai semelhante. Suas crenças, pensamentos e sentimentos geram comportamentos, e se faço algo de acordo com aquilo que sinto, crio hábitos que refletem aquilo e atraem para mim o que preciso.

Acredito, sinto e me comporto. Não precisamos forçar nada. Inevitavelmente começamos a vibrar aquilo que desejamos, e em vez de tentarmos puxar aquilo, a lei da atração magnética faz com que o que desejamos chegue até nós de alguma maneira.

Quando você começar a ajustar sua mente, ela se tornará próspera, e você passará a criar os hábitos das pessoas prósperas.

Mas, Rafa, como funciona essa cadeia? Sempre temos mais daquilo que acreditamos. Lembra que contei a vocês, lá atrás, que, se imaginamos determinada situação, mesmo que sintamos medo em relação a ela, atraímos essa realidade para nós? Já percebeu que quem sempre fala de doença está sempre doente? Que quem acredita que vai ser enganada sempre é enganada? Que quem não confia nos outros sempre acaba atraindo pessoas desleais? Que quem acredita que o parceiro vai trair acaba criando um comportamento que vibra naquela sintonia e gera aquela situação?

Pois bem: comece a alimentar as crenças positivas e criar sentimentos igualmente positivos, bloqueando as que não condizem com o que você quer. Crie frases de prosperidade, afirmações positivas, fale sobre coisas boas, pense naquilo que quer, encha a sua vida de bênção, porque você tem esse poder de criar a sua realidade. Lembrando que precisa sentir: sentir-se verdadeiramente merecedora da felicidade, do amor, da prosperidade. Agora entrando no âmbito das finanças pessoais e trabalho: já percebeu como, quando acredita que merece mais e que seu trabalho é valioso, as pessoas a valorizam mais?

Se você, com seu potencial interno, acredita que o valor que cobra pelos seus trabalhos, produtos ou serviços é alto e ninguém pagaria, você atrai pessoas que não acreditam que você vale tudo aquilo. Você sempre atrai aquilo que vibra, e não o que diz: ou seja, se acha caro o que você mesmo cobra ou se acredita que seu salário é alto demais, sempre estará vibrando nessa sintonia, e as pessoas que atrairá estarão nessa mesma frequência.

O que quero que perceba nesse âmbito é que existe o valor. Caro e barato é julgamento. Pode estar acessível ou inacessível, mas você atrai o cliente de acordo com o que você entrega.

Pergunte a si mesma: como você pensa quando coloca valor no seu trabalho e nos trabalhos dos outros? Você se sente mesquinha, tenta pechinchar tudo, acha tudo caro? Ou gosta de remunerar bem as pessoas pelo serviço que prestam, porque está alinhada com a corrente da prosperidade?

Dinheiro é energia. Da mesma forma que você lida com ele quando está disposta a adquirir um bem ou serviço, as pessoas lidarão com você quando quiserem pagar-lhe por um serviço que oferecer.

Você precisa ter consciência de que essa lei pode favorecê-la e trazer a você mais daquilo em que acredita. Atraímos para nós aquilo que desejamos e também o que consideramos indesejável. Quando pensar em problemas, dívidas, contas, pobreza, assuntos desafiadores, saiba que vibrará naquilo e naturalmente atrairá mais daquilo para sua vida.

Da mesma forma, se nos concentrarmos na falta de amor em nossas vidas, manifestaremos apenas mais carência. É impossível criar amor quando nos concentramos no medo. É impossível criar prosperidade quando nos concentramos na pobreza. Trata-se da lei da atração magnética.

Existe outra chave dentro dessa lei que é importante que você entenda: se tiver expectativas, você não está deixando fluir, está apenas controlando ou manipulando.

O Universo não está ali simplesmente respondendo às suas palavras. Ele responde às suas vibrações. Você saberá qual é sua vibração pelo modo como se sente.

Um dos maiores *coaches* do mundo, Tony Robbins, fala muito sobre os estados emocionais. Você pode conscientemente criar estados emocionais positivos para sua fisiologia permitir que você se sinta da melhor maneira possível.

Eu sei que de vez em quando a vida é desafiadora, você carrega culpas, medos e decepções, mas entenda que pode, a qualquer momento, mudar isso. Para criar a Vida Divina na Terra, você precisa estar em harmonia vibracional com a fonte.

Não sei se você já ouviu a expressão "rezar com o coração puro". É sobre isso que trata essa lei. Quando nosso desejo corresponde, em termos vibratórios, com nosso pensamento, a vibração é pura, e o Universo nos entrega o que desejamos.

Só que, se estivermos com o coração cheio de mágoas, assustadas, e desejarmos algo com o qual não estejamos em vibração, a lei da atração magnética não trará aquilo que desejamos. Será como se tivesse uma nuvem densa composta por cada imagem mental de cada pessoa que ainda não amamos de verdade, ou seja, incondicionalmente. Cada ausência de perdão, cada mágoa, é uma barreira à materialização dos seus sonhos, ao funcionamento da lei da atração magnética.

LEI DA ORIGINALIDADE ESSENCIAL

Se você ainda não entendeu os conceitos de "ego" e "essência", vou explicar agora. É fundamental entender quem é você em essência e qual é essa parte que é só sua, que é você. Isso nem sempre está claro para as pessoas.

Nascemos essência. Puras, cheias de amor divino, espiritualmente intactas. Conforme vamos crescendo, somos preenchidas pelas crenças de nossos pais, dos nossos professores, amigos, pelo ambiente, por tudo que vai moldando nossas características e deturpando o nosso ser da originalidade. Muitas de nós chegam à idade adulta sem saber quem somos em essência e cada vez mais desconectadas dela, do nosso Eu sábio.

Fomos criando máscaras para dar conta do embate da vida e, em determinado momento, nos distanciamos tanto de nós mesmas que nem sabemos como chegaremos de novo a nossa essência.

Quando comecei a estudar *Um Curso em Milagres*, passei a entender melhor esses conceitos de ego e essência. Chamo de mente certa e mente errada, e uma vez ouvi uma amiga chamar de mente sagrada e mente safada – adorei e adotei.

O ego está ligado à mente escassa, e a mente próspera está ligada à essência. Todas nós temos uma certeza e uma confiança que são divinas, só que ficamos esperando sempre o pior, mesmo sem perceber. Isso acontece porque o ego fica atrapalhando e dizendo que "vai faltar dinheiro, então é melhor guardar". Ou que "não vai dar para pagar as contas do mês, então é melhor economizar". Já a outra mente, a sagrada, sabe que todas as nossas necessidades serão atendidas quando entregamos ao fluxo, quando estamos em ação servindo da melhor forma e conectadas a nossa essência.

Pode até parecer ladainha mágica, todavia, é uma lei universal que funciona. Para explicar melhor esse conceito, você precisa saber que existe um conhecimento sobre as três zonas onde as pessoas estão, e que a grande maioria se confunde quando falam de caminho do meio. O caminho do meio é a neutralidade.

Vamos dividir a humanidade em três grandes grupos: a neutralidade seria o zero, e existem o positivo e o negativo. Vamos falar da boa personalidade e, no outro extremo, da má personalidade – e no zero, você vai dizer que há a originalidade essencial.

É importante entender isso. Má personalidade são as pessoas que estão avessas aos valores espirituais. É o que chamo de "Estão dormindo na 'Terceira Dimensão'". Estão roubando, matando, prejudicando os outros de forma premeditada, mentindo, e não têm noção de quanto isso tem efeito de causalidade. Então é fácil de compreender a má personalidade. Esse grupo existe e muitas vezes está preso nessa borda.

Outro extremo é a boa personalidade – mais de 80% da humanidade que entendemos como boas pessoas estão aqui e entendem o conceito de ego e essência, desperto e não desperto, mas, dependendo do tipo de informação que recebem, são modeladas de acordo com as crenças, agem no bem, só que sem profundidade.

A questão é que muitas vezes criamos personalidades e ficamos longe de nossa originalidade em essência. Muitos de nós conhecem as pessoas que sorriem e acenam, não querem desagradar, entendem que existe um movimento de expansão de consciência, mas não se bancam em essência. São pessoas que cresceram com muitas travas, crenças, e não se desenvolvem como poderiam.

Muitos clientes chegam até mim porque atraio pessoas altamente espiritualizadas, no âmbito da boa personalidade, já em busca de uma nova vida, do real despertar.

Quando você entra no processo da originalidade do ser, você ATRAI A ABUNDÂNCIA. Com ela você consegue, com essa compreensão, ativar seu DNA próspero e criar um posicionamento próspero.

Desses extremos da boa e da má personalidade, quando você está na neutralidade, vai para o seu caminho de originalidade essencial.

Em qualquer situação em que estejamos, podemos ter basicamente duas emoções: o AMOR e o MEDO. Uma delas nos leva à paz, e a outra, ao conflito. Uma delas é real e existe sempre, e a outra é uma ilusão e não passa de um erro de uma percepção cheia de bloqueios que impedem a percepção correta da realidade. Esses são os ensinamentos de *Um Curso em Milagres*.

Tudo é oportunidade de aprendizado. Nossa essência está, em geral, soterrada por um ego medroso que sustenta que o mundo é um local assustador, onde os conflitos se sucedem, a sensação de ataque é constante – em resumo, somos vítimas indefesas.

Um dos conceitos mais importantes do *Curso* é que cada um de nós faz constantemente a escolha de qual dessas duas realidades quer experimentar. O *Curso* visa nos treinar para que possamos fazer as escolhas de forma consciente, e não de forma automática, como fazemos habitualmente.

LEI DA FLUIDEZ

"Deixa fluir." Você já deve ter ouvido essa expressão, que explica bastante sobre a lei da qual vamos falar agora. Como prosperidade é fluxo, é um fluxo fluído, para ter prosperidade em sua vida, você precisa literalmente deixar as coisas fluírem naturalmente, sem forçar nada, sem segurar nada, sem controlar nada.

Quando controlamos, estamos presos no ego, que acha que tem condições de entender a vida mais do que a nossa essência. E se estamos aqui em essência para dançar a dança da vida, quanto mais soltamos as rédeas, deixamos fluir.

Se fizemos uma reforma íntima, criando condições para o corpo emocional soltar os sofrimentos, se perdoamos, se colocamos amor em tudo, se confiamos na Lei Divina e temos fé na vida, não ficamos controlando, enchendo a cabeça de pensamentos, de medos, de anseios. Essa estratégia do ego de querer controlar tudo nos afasta da lei do fluxo.

Quando você coloca seu olhar sobre as pessoas, começa a julgar, a dizer que fulano não agiu da maneira como você gostaria, ou não atendeu as expectativas, você não tem força para estar nesse momento presente.

Nesse momento você precisa saber que precisa fluir na vida. Comece a observar as coisas e os fatos com fluidez, sem julgamento, e a compreender que existe um movimento de forças superiores de uma inteligência muito maior que a minha e que a sua que nos guia.

É igual criança pequena que confia porque sabe que seus pais estão cuidando dela. Destemida, ela não conhece limitações, medos. Sente que está sendo amparada o tempo todo.

Já deve ter acontecido de você planejar algo e, quando não aconteceu da maneira como desejava, ficou frustrada e precisou mudar a rota.

Confiar na vida é não ficar se debatendo quando essa rota muda, porque essa mudança é justamente o fluir da vida.

Quando eu trabalhava como *coach* de emagrecimento e estava reconhecida e sendo bem remunerada por isso, fui tocada que minha missão de alma era outra, que aquela parte da jornada fora uma peça importante do quebra-cabeça, e não o quebra-cabeça todo. Meu ego tentou me fazer continuar onde eu estava, e eu fui sacudida por ele, mas deixei fluir.

Da para ser próspera de verdade quando a gente está no propósito de alma. Fluir na vida tem a ver com se soltar. Esteja consciente de que, se vier algo diferente do que você planejou, e foi o que teu coração guiou, trata-se de um plano que está nos processos do plano evolutivo pra levá-la ao próximo nível. Então siga confiante.

Todos os dias quando acordo, digo "Espírito Santo de Deus, que meu dia de hoje ocorra conforme a tua vontade, e não a minha". Nesse momento, o que você fala com essa frase que é uma programação mental? Você fala com a voz abundante e próspera. Você conversa com a sua essência, o Espírito Santo.

Acredito que, quando Deus fala com a gente, é dessa maneira que acontece. Quando estamos decretando isso, estamos nos conectando com essa voz, da essência divina, conectando o Espírito Santo que existe dentro de nós.

LEI DA EXCELÊNCIA DO SER

Você já deve ter ouvido falar que precisamos estar em evolução pessoal permanente. Muitas pessoas acreditam que precisam estar sempre em cursos. Essa é a "borda" querendo nos dizer onde devemos estar. Quando você fica na borda, você não está empenhada em fazer a verdadeira reforma íntima, e esta é a chave da lei da excelência do ser.

Lembra que falamos sobre a reforma íntima? Pois é: quando nos reformamos intimamente, ficamos aptas a entregar o nosso melhor em excelência para o outro.

É importante entregar seu melhor em excelência para o outro. Quanto mais você der em excelência, mais recebe em estado de excelência. Não adianta querer mais da vida se você se doa pouco. Querer o melhor se você entrega pouco. Querer amor incondicional quando você dá migalhas.

A vida é uma troca entre dar e receber, e essa troca existe em equilíbrio quando aprendemos a dar e receber, sentindo que merecemos.

Estado de excelência do ser é fazer doação de qualidade. Doação de conteúdo, doação de ideias, de dinheiro, doação de alegria. Vamos contribuir para que o Universo prospere quando damos o nosso melhor em todas as áreas da nossa vida.

LEI DO AMOR INCONDICIONAL

Você já deve ter percebido que adoro falar de amor incondicional. Bato muito nessa tecla porque na essência somos feitos de amor. Você deve ter feito a si mesma esta pergunta: quem sou eu na essência?

Você é amor. Nada muda isso. Quando dizem que você é filha de Deus e foi feita à imagem e semelhança Dele, estamos dizendo que somos imagem e semelhança do que Ele é em essência.

A maior parte dos humanos ama condicionalmente. Mas sobre o que é essa lei do amor incondicional? Você já deve ter percebido que temos um grupo de relações especiais. São dois tipos de grupo: especial de ódio e especial de amor.

O grupo do ódio é mais ou menos assim: não gosto e pronto, não sou obrigada a amar todo mundo. Muita gente acha que odiar é emanar muita raiva, mas quando vibramos algo que nos distancia do amor, estamos na dualidade, no ego.

Nessa dualidade em que o ego nos faz perceber separados da fonte criadora de tudo que há, existem dois tipos, mas existe um especial de amor, que é condicionado. Já parou para perceber que você ama algumas pessoas porque são seus filhos ou parentes? Ou ama porque aquela pessoa pensa parecido com você? Ou porque vive os mesmos valores?

Amo quem pensa parecido, quem vive meus valores, ou até que você me seja útil. Esse é o amor condicionado. Um amor complicado que faz com que surjam as grandes guerras, porque as pessoas se sentem melhores umas que as outras.

Amar incondicionalmente é amar além dos limites da sua família, amar o pacote completo, as virtudes e "defeitos", amar o ser de forma integral. Somos todos irmãos, e entender isso é criar possibilidades para amarmos verdadeiramente uns aos outros.

Se partimos da mesma fonte e do mesmo Criador, a premissa seria desenvolvermos uma relação essencial e santa. Amo meu vizinho mesmo que ele não converse comigo, compreendo, aceito e amo aquela colega de trabalho que fala de mim pelas costas. Amo e aceito todas as pessoas e seres.

Quando estamos na nossa essência, temos um jeito único e sabemos do impacto que causamos na vida das pessoas. Somos como uma vitrola: temos uma alma antiga e versos que são apenas nossos. Uma essência que nenhum outro som pode ter.

Somos únicos e começamos a respeitar nossos semelhantes e reconhecê-los como únicos. É nessa lei que entra o processo de originalidade essencial. Falar de amor incondicional é importante porque, quando amamos incondicionalmente, somos capazes de perdoar incondicionalmente, e o perdão é fundamental em todos os processos para se que possa transcender e atingir o amor verdadeiro, incondicional.

Quem ama incondicionalmente sabe que o que foi ferido é o ego, e não o ser em essência.

Se você quer materializar riqueza, por exemplo, precisa mergulhar no seu interior para poder se posicionar. Com esse desafio, vai descobrir que dá o seu melhor e acaba confiando mais em si mesma.

Com essa percepção de si mesma, começamos a ter mais clareza da consciência plena. Dessa forma, também desenvolvemos o autoconhecimento e a autorresponsabilidade. A realidade que temos hoje é relacionada às crenças nas quais projetamos nossa realidade.

À medida que você projeta seu valor, aumenta sua autoestima. Seus preços refletem sua autoestima e a conexão que está com sua essência. Se você quer se posicionar no mercado de produtos *premium*, por exemplo, as pessoas irão avaliá-la pelo preço que você estipula.

É importante que eu diga isso para que você possa comparar o valor da sua entrega e o valor que você cobra pelos seus serviços.

Amamos o próximo como a nós mesmas, mas só somos capazes de amar o outro quando amamos a nós mesmas. Por isso meu convite é que você se ame mais e possa vibrar amor incondicional. Só que, para poder chegar no nível do amor incondicional, é preciso perdoar.

Temos o "Eu superior", o "Eu médio" e o "Eu inferior". O "Eu inferior" está ligado às memórias profundas. Quando você decide "quero ser próspera e abundante", mas tem uma crença de merecimento, vai até o seu "Eu médio", e seu desejo para.

É como se você plantasse e, na hora de regar a semente, ela voltasse para dentro. É como se você ficasse trocando de desejos e intenções porque não está conectado.

Qual o pulo da gata? Antes de ir pro "Eu superior", observar a si mesma e entender por que está magoada, se está julgando demais as pessoas e como está vivendo as relações.

Verifique se são várias pessoas de que não gosta, com as quais não consiga construir essa relação de amor incondicional, pois isso atrapalha nosso desenvolvimento. Enquanto essas pessoas estiverem por perto, cai o meu padrão em hertz e não sobe para o "Eu superior", principalmente porque uma parte de mim, uma voz de ego, voz escassa, fica me dizendo que eu não mereço.

Temos todos essa voz dentro da gente que nos diz que não merecemos, ou nos julgando, ou nos fazendo intolerantes a respeito de algo. Se você começar a vibrar pelas pessoas para as quais não está vibrando amor incondicional, começa a perceber que é uma construção diária nesse caminho.

É só imaginar a seguinte situação: podemos colocar uma espécie de óculos com lente cor-de-rosa e enxergar o que estamos vendo com amor. Observando o outro e os porquês do outro, sem julgar ou tentar entender. Essa construção nos ajuda a fluir de um lado maior que a meta financeira, e isso se torna uma abundância em todas as áreas da vida.

LEI DA MATERIALIZAÇÃO

Já falamos aqui que tudo que você pulsa e vibra é recebido em forma de hertz, em informação do éter, e, a partir desse momento, podemos materializar aquilo que emitimos.

Vamos trabalhar em dois níveis de prosperidade: âmbito mental e das ideias, e depois aprender a materializar.

Para começar, precisamos entender como estamos criando as crenças. Estamos semeando aquilo que vibramos, sempre. A questão é que tudo que você vibra você semeia. Para colher tem que semear.

Se você está reclamando, se sentindo injustiçada, manda uma informação que retorna para você de alguma forma. Muitas das coisas que estão acontecendo agora aconteceram algum tempo atrás. Não dá para instalar um programa novo num computador cheio de vírus. Vamos limpar essa área, tudo que resta e que está poluindo nossos sentimentos e pensamentos. Vamos expandir.

Nesse processo de materialização, é importante entender que existe um conceito que precisa ter um desejo intenso. Você materializa com mais facilidade quando é um desejo de alma, e isso só consegue ser claro quando se está em essência.

Enquanto não estiver materializando coisas que são seu propósito de alma, você está apenas criando. Você pode às vezes confundir? Pode.

Qual a dica? Você vai ter muito mais facilidade quando começar a fazer as perguntas do que quer materializar. Quando perguntar a si mesma "é isso que quero materializar?", vai entender se é um propósito da alma ou se aquele passo vai levá-la a cumprir algo que precisa cumprir.

Todos temos amor incondicional dentro de nós e podemos materializar algo se temos um desejo profundo alinhado ao nosso propósito de alma.

Precisa ter certeza do que se quer e agradecer antes de receber. Deixe aquela frase de que você precisa ver para crer. Aqui você primeiro precisa crer para ver. Então, a fórmula para a materialização é desejo intenso, fé inabalável, senso de merecimento, foco, ação e desapego, para que possa soltar e confiar que vem.

Crie, em primeiro lugar, uma emoção fortíssima, comemore cada pequena vitória. Suba seu padrão vibracional com alegria e entre em ação. Foco, ação direcionada e constante, que você vai materializar coisas lindas e maravilhosas.

LEI DA GRATIDÃO

Se estamos num nível de prosperidade aquém do que desejamos, certamente não somos verdadeiramente gratas. Gratas em essência por tudo aquilo que temos e somos. Muitas pessoas confundem ser gratas com dizer muito obrigado, agradecer, fazer suas postagens, mas não tem a ver só com o pensar ou falar. Tem muito mais a ver com o sentir.

É a emoção que sentimos que dá o tom para a sensação de gratidão que ativamos em nossa alma. A gratidão é uma blindagem contra doenças, contra escassez.

Uma mente que está grata não consegue parar para reclamar nem olhar para as partes que constituem desafios da vida.

Se você tirar o foco do que reclama e colocar no que tem, se engrandece, cria um hábito poderoso. Porque precisamos desse hábito. A gente pode ter picos de momentos gratos em essência, mas pode ter momentos que não viraram um hábito ou rotina.

A neurociência explica isso. À medida que você fica grata, seu cérebro libera dopamina. Ele entende que está tudo bem. Sendo assim, ele cria, e você fica buscando mais sensações como aquela. Aí você fica calibrada a olhar sempre cada vez mais as coisas boas. Sempre digo que o desafio é desenvolver o hábito da gratidão.

É claro que, em alguns momentos, as coisas não acontecem como queremos, e não consigo agradecer se tomei um pé na bunda. Mas se entender que aquela relação que não está legal, que lhe gerou um pé na bunda, foi pra jogá-la para a frente, para você evoluir, então seja é grata até pelos pés na bunda.

O que as pessoas ainda não estão acostumadas a fazer é se perguntar – se a situação não está do jeito que eu queria, pergunte a si mesma – "O que eu tenho que aprender aqui pra ir pro próximo nível que eu ainda não aprendi?".

Lições que se repetem em nossa vida são lições de que ainda não aplicamos a lei do amor incondicional. A lei do amor incondicional emana gratidão, porque quanto mais emano amor incondicional, mais eu fluo na vida e emano gratidão. Tudo isso faz sentido. Tudo faz parte de quem eu sou, e quanto mais rápido eu viro essa chave e crio o hábito, melhores são meus resultados e minha vida.

LEI DA ABUNDÂNCIA

Todos queremos prosperidade e riqueza em abundância. Todos os seres humanos fomos criados para viver uma vida plena e abundante. O que acontece é que, como nos percebemos separados da fonte criadora de Deus, criamos essa dualidade do mundo e projetamos dor, escassez – porque não nos sentimos merecedores ou por diversos potenciais que temos ocultos, escondidos por bloqueios, paradigmas e crenças.

Todos temos esse direito à abundância divina. Mas e as pessoas que não têm? Vejo na minha esquina a favela, vejo várias pessoas escassas. Existem pessoas escassas, mas a abundância está lá, e elas não experimentam. Elas merecem tanto quanto nós, mas elas não têm conhecimento suficiente para limpar esse *chip* escasso.

Existe um sistema nessa 3D/*matrix* feito exatamente para prendê-la na escassez. Esse sistema se mostra dentro das religiões, dentro da política, esse sistema aparece dentro da televisão e em diversas outras situações que vamos abordar.

Se sentiu desconforto com o que leu acima, em algum nível, há algo a ser trabalhado. Precisamos ir sempre na raiz do problema. Existe abundância. Precisamos entender o sistema não porque ele quer vê-la pobre, mas porque ele quer dominá-la. É mais fácil manipular as massas e manipulá-la quando as pessoas estão com medo ou escassas.

A massa foi doutrinada para achar que o rico é ruim. Não é o dinheiro que sobe à cabeça. É a cabeça que muda. O ego domina. Quanto mais você entender que a abundância é criação divina, mais leve vai ficar.

Está tudo bem trabalhar com um nicho e vir outro colega de curso e você trabalhar no mesmo nicho. Tem uma missão especial, e à medida que você abunda e esse DNA é ativado, você vai prosperar e ele vai prosperar. Para você crescer, não precisa o outro descer.

Posso crescer no nicho em que trabalho, de prosperidade e riqueza, e você pode ter como missão trabalhar com prosperidade e riqueza. O mundo tem muita gente escassa que precisa de nossa ajuda, que está escassa, e não é escassa.

Então quero convidá-la a checar o quanto você acredita nessa abundância e nesse estado que você pode ter, sobrar e abundar no outro.

Prosperidade é um acordo que você assina com você pelo resto da vida. Não dinheiro pelo dinheiro, pela excelência do ser e retorno do equilíbrio sistêmico. Isso é das constelações. Se você gera valor para seu cliente e não cobra o valor que entrega, naturalmente vai acabar diminuindo a qualidade de forma inconsciente, porque não está equilibrado.

Podemos desenvolver uma mentalidade de riqueza ou de pobreza, sempre. Cresci com alergia e na orelha só podia usar ouro, e vovó Custódia falava com frequência:

– Ah, meu Deus. É orelha de rico em pobre.

Cresci ouvindo isso. Um dia, mapeando a escassez, descobri esta frase – orelha de rico em pobre.

Outra época em que trabalhei para lutar contra as crenças que me afastavam da abundância foi quando minha mãe faleceu. Meu esposo decidiu comprar um lote no condomínio na semana em que minha mãe faleceu, e aquilo me deixava mal, porque eu trocaria tudo pela minha mãe, e lá estávamos na decisão do maior investimento até aquele momento.

Eu fiquei com birra da compra, que ele decidiu por nós, e discutimos por várias vezes. Como executiva, eu já ganhava bem, mas naquela época o topo que eu conseguia, achava que era o que tinha. Não me via prosperando mais.

À medida que fui trabalhando com isso, acreditei que era possível. Você faz dinheiro na medida em que você acredita que isso é possível, na medida em que seu corpo e células aguentam. À medida que comecei a entender isso, minha vida mudou.

Em um ano, materializamos a casa dos sonhos, dentro dos meus sonhos e das possibilidades. Isso é dos sonhos. Fazer o que se acredita dentro dos seus sonhos e possibilidades.

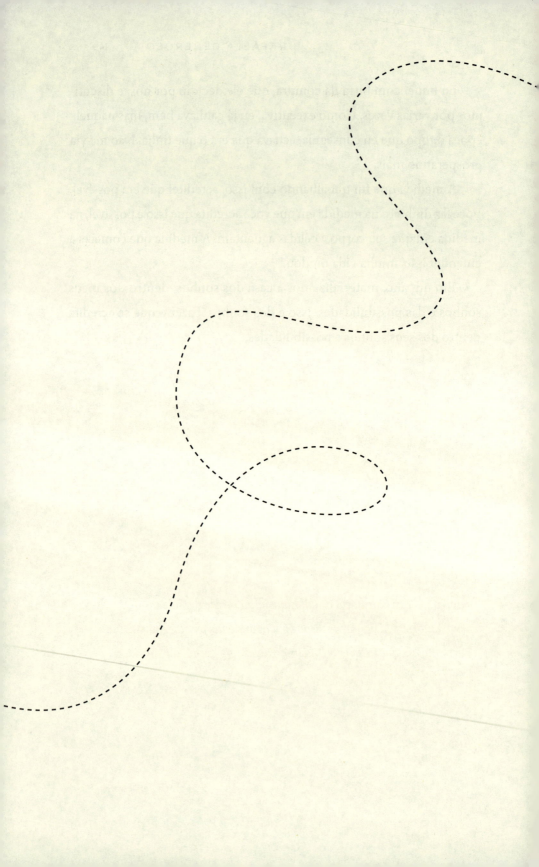

O MUNDO COMO VOCÊ O VÊ NÃO VAI LEVÁ-LA PARA SUA VIDA DIVINA

"O Amor não guarda mágoas. Tu, que foste criado pelo Amor como Ele Mesmo, não podes guardar mágoas e conhecer o teu Ser. Guardar uma mágoa é ver a ti mesmo como um corpo. Guardar uma mágoa é deixar que o ego domine a tua mente e condenar o corpo à morte. Não estarias disposto a abandonar as tuas mágoas se acreditasses que tudo isso é assim? Talvez não penses que possas soltar as tuas mágoas. Mas isso é apenas uma questão de motivação"

(UCEM – LE – pág. 122)

Vamos falar um pouco de dinheiro. Quero saber qual a relação que você tem com ele hoje. Já que vamos falar das travas da prosperidade, em primeiro lugar precisamos fazer alguns questionamentos importantes.

Como seus pais lidavam com dinheiro? O propósito deste livro é que você tenha uma Vida Divina. Com essa transformação, você vai gerar a sua prosperidade, vai trazer abundância para sua vida e criar uma realidade diferente da que tem hoje, de altos e baixos.

Já detectamos a montanha-russa em que você vive, já falamos sobre como a transformação deve acontecer de dentro para fora para que a materialização dos seus desejos seja consequência da cocriação de sonhos que estão conectados à sua essência, e agora vamos falar um pouco sobre o que você ouviu a vida toda a respeito das notas que guarda dentro da carteira.

Isso mesmo: talvez o que você ouviu não tenha sido nada agradável. Eu, por exemplo, já contei muito da minha vida por aqui, mas uma coisa que você não sabe é que eu ouvia constantemente meu pai dizer que deveríamos ter cuidado e guardar dinheiro, porque um dia ele poderia faltar. Que eu precisava comer de tudo, pois vai que um dia falta, e só teria para comer aquele alimento de que eu não gostava.

Aquela mensagem ficava grudada no meu inconsciente, e eu realmente conseguia visualizar uma pessoa idosa abandonada numa casa de caridade sem qualquer recurso financeiro. Aquela imagem doía na minha alma e fazia com que eu não entrasse no fluxo quando surgissem oportunidades de investir ou utilizar meu dinheiro de maneira próspera.

Foi quando me dei conta dessa loucura interna que ficava como um sinal vermelho dentro da minha cabeça. Entendi finalmente que o processo de poupar dinheiro não era para crescer, e sim para não faltar.

É um desafio diário lidar com todas as crenças relacionadas ao dinheiro. Por causa delas é que estamos empacados. As travas da prosperidade são tantas que eu poderia escrever um livro inteiro sobre elas. Mas vou dar apenas alguns exemplos de como isso tudo funciona.

Para começar, uma dica prática para os momentos em que você precisa decidir sobre um gasto ou investimento. Pergunte a si mesma o que acontece se não fizer, o que acontece se você fizer e por que isso pode mudar a sua vida caso você faça.

Essas três perguntas podem ser a chave para muita coisa, portanto, sugiro que você as fotografe mentalmente, com seu celular, grife ou escreva em algum lugar que pode ficar bem visível todos os dias.

Hoje temos pessoas que estão em busca de fórmulas prontas. Aposto que muita gente adquiriu este livro buscando a fórmula mágica para ficar rico, sem entender o sentido por trás da prosperidade real.

Querendo ou não, as leis das quais falei no capítulo anterior estarão agindo, e precisamos entender que devemos, de uma vez por todas, colocar nossos talentos em jogo.

O que isso quer dizer? Que o mundo está farto de pessoas com habilidades únicas executando trabalhos diferentes daquilo que nasceram para fazer. Muitos advogados que queriam ser artistas, muitas empresárias que queriam ser terapeutas, muitas pessoas fazendo o que não gostam para cumprir um papel social – seja em casamentos, seja em empregos que estão longe da essência.

Todos nascemos com dons e talentos naturais, mas muitos ficam com medo de colocá-los em prática. Sem querer enganá-la: quanto mais você se aproxima da sua essência, menos vive de oba-oba, mais conhece a felicidade real e se afasta da sensação de satisfação momentânea que prazeres causam. Logo, você se dá conta do que a preenche. Isso faz com que direcione suas energias para aquilo que efetivamente traz resultado a sua vida.

Eu mesma já fui daquelas que diziam que, para as coisas darem certo, era necessário muito suor e sangue. Quando começamos a entender as leis, percebemos que não é assim que funcionam as coisas. A vida precisa ser fluída, e os resultados surgem quando estamos em sintonia com a nossa essência e seguimos as oito leis.

Tudo flui com extrema facilidade quando estamos conectados à fonte. Se está sendo um sofrimento, pode ser que o ego ainda esteja pregando alguma armadilha.

No ano de 2018, enquanto escrevo este livro, tudo de mágico aconteceu em minha vida. Fiz decretos de que realizaria coisas que simplesmente se mostraram oportunidades sem que eu precisasse mover montanhas para realizá-las.

Isso é diferente de dizer que você deve ficar na inércia. Ação é necessário, e, à medida que nos conhecemos, entramos no fluxo da vida, e tudo fica mais leve e mais fácil.

Quando coordeno pensamento e sentimento, mudo meu padrão vibracional e me comporto de determinada maneira. Essa é a ação direcionada. Se repito aquele comportamento, ele vira hábito, e hábitos podem ser bons ou ruins e se tornar uma virtude ou um vício.

O que quero que você entenda de uma vez por todas é que, quando adubamos a terra, precisamos de sol e água para que as sementes floresçam. Assim é com o pensamento positivo. Se eu não adubar com as ações corretas, não vou nutrir, e meu sonho não se realiza.

As crenças geralmente podem ser grandes travas da prosperidade. Quando temos raízes profundas como aquelas das árvores, podemos encontrar em cada raizinha um registro negativo que virou um trauma ou bloqueio em algum nível.

As pessoas se esquecem de tirar isso. Elas querem colher os frutos sem olhar para as raízes que foram alimentadas durante anos com material contaminado.

Quando fiz um dos cursos de formação, detectei essas crenças que tinha lá no meu passado, retirei-as e selei com outra coisa no lugar. Se eu não colocar outra coisa no lugar, corro o risco de voltar para aquele padrão de comportamento que foi gerado com aquela crença.

Mas, Rafa, como detectar se as crenças me fazem mal?

O segredo da vida está no coração, e não no cérebro. Você percebeu que devemos desenvolver a intuição e minimizar o julgamento, certo? Se minimizo o julgamento e observo a situação, tento neutralizar e ver como me sinto em relação a ela.

Todo mundo sente, mas tem medo de falhar. Todo dia, quando acordo, oro o Pai Nosso e finalizo da seguinte forma: "Senhor, que o dia de hoje ocorra conforme a sua vontade, e não a minha". Gosto de dar um exemplo como se tivéssemos duas tomadas, uma 110 e outra 220, e no dia a dia todo o jogo interior é saber qual tomada ligar, porque, se eu ligar numa tomada 220 algo que é 110, vou queimar.

Quando falo essa frase, mando um comando para o inconsciente e sei que a vontade divina é que deve guiar minha vida.

A vida, para mim, é um amontoado de tomadas de decisão. Vou até lá, tomo uma decisão e pago o preço dela. Desde a hora em que me levanto até a hora em que vou dormir.

Sabe qual a sabedoria? Escolher melhor para pagar os melhores preços. O preço que você paga de uma forma mais sutil e mais leve é o melhor preço a ser pago.

Não que você não possa errar, mas se você minimiza isso, ativa sua intuição. Onde está a sabedoria? Em tomar as decisões intuitivamente e ver o momento de aceitação.

Qual o oposto da aceitação? A raiva. O que é a raiva? É eu não aceitar as coisas como elas se apresentam. Quando passo a aceitar as coisas como elas se apresentam, pergunto: "posso fazer algo para mudar?".

Às vezes o barato da vida e a dança do cosmos é não fazer nada e esperar a cena do próximo capítulo.

Esse fim aonde vou chegar depende do processo da minha jornada. O mundo como você vê não vai levá-la para sua Vida Divina. Para levá-la para uma Vida Divina, você precisa desconstruir o mundo que conhece e se permitir conhecer um novo mundo.

Do mesmo jeito que está acontecendo num mundo aqui, tudo está acontecendo em outra realidade. Ficamos à espera de um Deus que nos salve, mas precisamos entender, de uma vez por todas, que ele nos dá o livre-arbítrio para que possamos salvar a nós mesmos todos os dias.

Você vive esperando os salvadores e não entende que o salvador das nossas vidas somos nós. Ainda dá tempo de aprender.

TRAVAS DA PROSPERIDADE

"Cada uma das principais atitudes de aprendizado são estradas longas em si mesmas, e você, algumas vezes, vai pular de uma para a outra como uma bola de pingue-pongue. Não se sinta mal quando perder seu caminho temporariamente. O avião a jato está sempre saindo do curso, mas, através de uma correção constante, ele chega ao seu destino. Assim você também vai chegar ao seu. A questão real é, por quanto tempo você quer prolongar seu sofrimento?"

O desaparecimento do Universo

Se você começar a analisar a vida das mulheres prósperas que realizam grandes feitos, vai perceber um padrão de comportamento e atitudes. São características que elas desenvolveram ao longo da vida. Todas elas, sem exceção, já estiveram na merda absoluta. Por isso, fique tranquila:

mesmo que atualmente você não esteja no estado que deseja, é só seguir em frente que vai destravar a prosperidade.

Agora que você tem consciência do que é uma Vida Divina, de que prosperidade envolve muito mais do que dinheiro e que pode e merece ter uma vida poderosa e energizada, com amor, saúde, dinheiro, amigos e realizações que multipliquem seus talentos, já sabe como funcionam as Leis da Prosperidade, vou contar um pouco sobre as travas que podem ser armadilhas nas quais você cai dia após dia e a impedem de seguir em frente.

Já caí muitas vezes nessas travas, e todas as mulheres que conheço lutam constantemente para transpor essas barreiras. O primeiro passo é saber que essas travas existem e que, se você está consciente delas, pode virar o jogo e usar essa informação a seu favor.

Foram anos estudando a mente das pessoas prósperas, além da observação do comportamento e dos hábitos de prosperidade. Ao todo são 129 travas da prosperidade que formam oito blocos de abundância. Esses blocos prendem inúmeras pessoas e as impedem de ter a Vida Divina que merecem ter.

Claro que aqui no livro não conseguimos destrinchar todas, por isso vou falar de algumas que são as mais comuns. Falo sobre elas mais a fundo no meu curso.

Em primeiro lugar, você precisa entender que as travas de riqueza podem vir de qualquer lugar: seus pais, colegas, seus mentores, seus amigos, seus familiares, a mídia e o governo. Essas crenças grudam feito praga na nossa mente, e, quando menos esperamos, lá estamos nós repetindo aquele padrão de comportamento sem nem saber onde surgiu a matriz daquilo.

Logo que comecei a investigar isso a fundo, percebi o quanto as alunas tinham travas e como as travas eram sempre as mesmas. Era só liberarmos o fluxo e pronto – elas voavam.

Algumas estavam tão comprometidas com os resultados que desrespeitavam a si próprias. Envelheciam com o estresse, criavam desculpas para trabalhar demais e não cuidar da saúde, para negligenciar os filhos e até mesmo esquecer as relações próximas.

O desequilíbrio está bem distante da prosperidade. Uma conta recheada de dinheiro pode parecer a solução dos seus problemas, mas você pode ter muito mais, que é o que chamo de Vida Divina.

Tem pessoas que têm medo da Vida Divina. Inconscientemente se sabotam, acreditando que não irão suportar amar e ser amadas, ter dinheiro, viver sem preocupações, parar de resistir ao fluxo, entregar os desafios. Sentem-se como se o controle remoto da vida escapasse de suas mãos.

Mas vou contar uma coisa: não existe controle remoto, e quanto mais temos a falsa sensação de que estamos controlando tudo, mais estamos presos numa vida aprisionada que não chega nem perto da plenitude que podemos experimentar.

Espero que esteja consciente de que o amor incondicional é o melhor filtro a ser usado com pessoas e situações e muda sua frequência em hertz. Agora vou contar como você adquire débitos energéticos.

Mas, Rafaela, o que é um débito energético? Vou dar um exemplo: vamos supor que você seja *personal trainer*. Seu aluno pede um treino, e você não se preocupa em pesquisar o biótipo daquela pessoa, nem investigar como poderia criar um treino funcional que a fizesse ter resultados individuais. Você simplesmente pega o mesmo treino padrão que criou para os outros alunos e usa. Quando faz isso, seja por preguiça de criar algo novo, seja por medo de fazer algo que nunca fez, você gera débitos energéticos.

Cada um de nós nasceu com uma originalidade. Ou seja, copiar o que o outro está fazendo pode parecer interessante porque você consegue cumprir a tarefa mais rápido, mas você cria um atraso de vida, porque não está acelerando seu processo de aprendizado nem utilizando sua excelência do Ser, como falamos dentro dos pilares.

Uma das travas mais comuns que vejo por aí é relacionada a pessoas que acreditam que dinheiro e espiritualidade são coisas distantes. Muita gente quer focar na caridade e se esquece de si mesma. São pessoas que acreditam que precisam negar o plano material para viver uma vida mediana.

Já vi isso acontecendo em todas as profissões. Uma advogada que conheço, inclusive, começou a atender casos sem cobrar, e quando percebeu, estava totalmente endividada, porque tinha pena dos clientes e, mesmo ganhando causas, não valorizava seu trabalho.

Ela estava desequilibrando a energia da prosperidade porque tinha a crença de que deveria ser boa, porque tinha ouvido durante toda a vida que deveria buscar o reino espiritual.

Muitos terapeutas também caem na mesma armadilha que trava a prosperidade. Exercem o ofício, ajudam pessoas, mas acreditam que aquilo precisa ser acessível, então não valorizam o próprio trabalho.

Vou contar uma coisinha: a espiritualidade e a prosperidade são um fluxo, e se um não está alinhado, o outro também não está. A frase "busque primeiro o reino espiritual e depois o material" é correta; o que muitos estão deixando de fazer é buscar esse mundo material, por medo dele.

Já conheci pessoas incríveis que conseguiram criar oportunidades maravilhosas para os outros, gerando empregos ou contribuição, porque se posicionavam de maneira próspera e tinham todos os recursos necessários para suprir as necessidades da família e gerar prosperidade para outras pessoas por meio da caridade.

Uma grande busca do ser humano hoje é despertar a consciência. É só fazer uma pesquisa no Google para perceber isso: cerca de 400 mil resultados sobre o tema. Então, nos aprofundamos na questão e percebemos o seguinte: muita gente presa na armadilha do ego sutil por meio da boa personalidade.

Como assim, Rafaela?

Essa armadilha é tão fácil de cair que eu mesma já cai nela sem perceber. Sabe quando você se acha mais espiritualizada que os outros? Ou quando começa a idolatrar pessoas que fazem um caminho que aparentemente é mais espiritual que o seu? Ou quando começa a julgar quem não está no caminho? Pois é, é dessa forma que essa trava breca nosso crescimento.

A sua riqueza e abundância estão diretamente relacionadas ao seu estado de espírito e consciência.

Algumas perguntas que podem despertá-la do sono profundo que trava a prosperidade:

1. Você trabalha com o que ama ou por um propósito de vida?

Este é o ponto inicial para sua reflexão, pois travamos a prosperidade quando trabalhamos apenas pelo dinheiro, fora da nossa missão de vida e do nosso propósito.

Se você está se perguntando como foi que consegui tornar meus sonhos realidade num curto espaço de tempo, respondo.

Assim como eu, muitas pessoas têm a missão de levar a luz para o mundo, os melhores profissionais que têm certeza do que fazem. Quero que as pessoas possam fazer o que estou fazendo e muito mais. Quero que descubra por que você ainda não encontrou a prosperidade. Dinheiro é uma energia a serviço da vida. Ela não é boa nem má. É você quem dá significado para ela.

2. Quando você paga as suas contas, qual sentimento vem até você? Sente que está perdendo dinheiro ou sente gratidão por poder pagar? Quais pensamentos vêm à sua mente? O que sente quando paga as contas?

Cada tipo de pensamento está ligado a um tipo de sentimento, e esses dois juntos geram um padrão de vibração que pode ser medido em hertz (hz). A gratidão ajuda a prosperar, pois eleva seus pensamentos e sua consciência, proporcionando mais saúde e felicidade. Saber disso já lhe dá a consciência de que elevar sua frequência vai ajudá-la a elevar o seu saldo bancário.

3. O quanto você reclama da vida?

Pare e anote quantas vezes ao dia você reclama. Quanto mais você reclama, mais você baixa o seu padrão energético e, sem perceber, atrai mais coisas para reclamar. Isso bloqueia o seu estado de prosperidade.

4. Como você guarda suas notas de dinheiro na carteira?

A forma como trata o dinheiro diz muito sobre o seu estado de prosperidade. Deixe as notas organizadas, sem amassar e em ordem.

5. Como andam as suas contas? Você as paga em dia? Consegue poupar para sua liberdade financeira?

Saiba que mais de 80% do sucesso financeiro é emocional, pois muitas pessoas gastam mais do que podem, apenas para tampar os vazios existenciais com bens de consumo. Poupe pelo motivo certo, pois até nisso as travas influenciam.

O que é prosperidade?

É um fluxo de energia com o qual você pode estar alinhada ou não. É a soma de estado de espírito vibrante. Se tem alguma coisa acontecendo, você não está no seu melhor.

A gente cria amarras que nos seguram. Selecionei alguns repelentes da prosperidade para trazer só um aperitivo do que abordo no meu curso, já que são tantas as travas que nos impedem de prosperar.

NÃO VIVER A MISSÃO DA SUA ALMA

Muita gente acha que ganhar dinheiro é uma coisa, e monetizar o talento é outra. Como falamos, muita gente tem pudor de viver a missão de alma e cobrar por ela.

Já me vi nesse papel, sem viver a minha missão de alma. Como sou empresária e gerente de desenvolvimento humano em empresa multifamiliar, e estava preparada para ser diretora, olhava e achava pouco o que tinha para oferecer. Naquele momento eu não tinha coragem nem recursos para vender desenvolvimento humano, mas se não tivesse dado o primeiro passo, jamais teria a Vida Divina que tenho hoje.

GUARDAR MÁGOAS

Já vimos por aqui que, quando guardamos mágoas, as consequências podem ser desastrosas. Por isso quero reforçar: guardar mágoa é como tomar veneno e esperar que o outro morra. Você viu, alguns capítulos atrás, o poder curativo do perdão.

Vou contar um segredo: existem dois segredos para ser feliz: amar as pessoas incondicionalmente e perdoar. Tudo que viemos fazer neste planeta, o Cristo nos trouxe. É amar a seu Deus acima de todas as coisas e ao próximo como a si mesmo. Como estamos de bem com o Todo-Poderoso se brigamos com o outro?

Amar ao outro como a si mesmo é um mandamento. Devemos nos amar, nos respeitar, buscar nos conhecer, libertar as crenças dia após dia. É assim que nos descobrimos. Costumo dizer que todos estamos no processo. Somos casinhas em construção. Um tem a fachada linda, mas por dentro está destruído. Cada um no seu momento de evolução.

SENTIR-SE INJUSTIÇADA. COLOCAR-SE DE VÍTIMA.

Essa é clássica. Muitas vezes nos esquecemos de que somos protagonistas de nossas vidas e nos sentimos injustiçadas. Entramos numa espiral negativa que nos coloca em posição de vítimas, e não conseguimos mais sair dela.

Essa trava é conhecida por nos deixar amarradas em nosso próprio desafio. É como se não conseguíssemos enxergar possibilidades ilimitadas diante de nós. Como se a vida fosse um grande desafio que joga obstáculos diante da nossa corrida, para dificultar as coisas.

Quando nos colocamos como vítimas, estagnamos e não avançamos em direção à Vida Divina.

NÃO SE ORGANIZAR, NÃO TER METAS E NÃO TER PLANEJAMENTO

Desorganização reflete desordem interior. O externo pode ajudar o interno quando nos organizamos nos nossos ambientes. Na medida em que você organiza a sua vida, mostra que confia no fluxo do Universo.

Organize-se mais, em tudo. Seja na sua casa, seja nas suas finanças, seja na sua estratégia de negócios. Falta de foco, meta e planejamento atrapalha. Comece a ter foco. Desenhe as metas que você quer antes que a energia fique parada.

AFOGAR OS VAZIOS DA ALMA COM BENS DE CONSUMO E VÍCIOS

Muita gente alimenta os vazios da alma consumindo. Algumas mulheres são viciadas em compras, outras em produtos, outras acabam adquirindo vícios como o álcool ou preenchem a fome emocional com comida ultracalórica.

Os vazios da alma são para enxergarmos o que estamos precisando buscar. O que está faltando.

TER PARA SER

Muita gente acredita que precisa ser para ter. Digo o contrário. Você deve se sentir próspera para atrair a prosperidade. A prosperidade está aí. A riqueza também.

Tive uma mentorada que cobrava menos de R$ 3 mil no processo de *coaching* e queria prosperar. Ela passou a cobrar R$ 5 mil após dois meses no curso Vida Divina, e entendemos o que a impedia: ela não se sentia merecedora. Então fizemos a seguinte pergunta: como prosperar se você se sente diferente?

Eu disse para ela entrar numa loja, sentir o cheiro do lugar, olhar a decoração. Dizer que ainda ia frequentar aquele lugar. Ela foi a quarenta lojas, e disse que na vigésima já sentia parte daquilo.

Essas são só algumas travas que impedem a sua prosperidade. O que quero agora é que você faça uma limpeza no seu "*chip* escasso", pare de se distrair e de ficar buscando cursos, num looping de escassez, sem entrar no seu *flow* de prosperidade. O que a leva a ter mais reclamações? Mais críticas? Mais julgamentos?

Quero que você mapeie cada área da sua vida para entender em que ponto está de alegria.

Quero entender por que você está afogando males da alma com bens de consumo que a estão distraindo. Vamos mapear os comportamentos escassos, as travas, e entender que crenças estão por trás de suas ações.

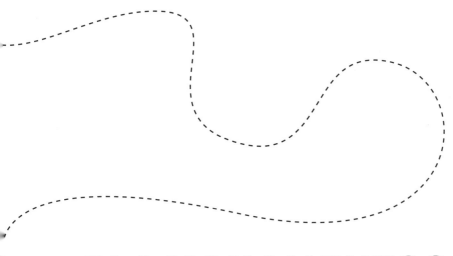

RELACIONAMENTOS E PROSPERIDADE

"Não somos curados pintando nossos problemas de rosa, ou colocando a culpa de tudo em outras pessoas. Saramos ao saber que qualquer sombra que esconda nossa luz está sediada na própria mente. É nossa responsabilidade admitir que ela está ali"

Marianne Williamson

Relacionamentos são o calcanhar de Aquiles de muitas das minhas alunas, e quando falamos de relacionamento, não estamos falando apenas de relacionamento amoroso. Relacionamento com o pai e com a mãe pode também beneficiar o fluxo da prosperidade ou travá-lo de vez.

A primeira pergunta que faço a você é: como estão os seus relacionamentos interpessoais? Eles estão fluindo naturalmente? Estão exigindo demais de você? Que nota você daria para a relação que tem com sua mãe? E com seu pai? E com o seu par?

Todas as relações trazem um parâmetro de como anda nossa vida, e desejo que você tenha clareza sobre isso, ao invés de se assustar, pois muitas clientes minhas, tanto de terapia quanto de *coaching*, assim como alunas dos meus cursos, já me relataram que só conseguiram destravar de verdade a prosperidade quando se deram conta de que a relação com os pais não ia nada bem.

Quando estudei o *Um Curso em Milagres* e fiz o curso de aprofundamento nele, entendi que era um desafio bem grande seguirmos o que Jesus pregava: amar ao próximo como a ti mesmo! Não é tão simples quanto parece. Na teoria tudo parece bem simples; já a prática é outra, porque somos incapazes de amar em profundidade se não conhecemos sequer o amor que temos por nós mesmas. Percebo que a cada dia amamos menos e temos mais culpas. Nos punimos, não nos perdoamos, não aceitamos nossas próprias falhas, pois tendemos a ter uma autocobrança rígida. Somos tão inflexíveis e intransigentes conosco que acabamos usando essa mesma régua com as pessoas do nosso convívio e nem sequer percebemos.

Em primeiro lugar, a relação que estabelecemos conosco precisa ser cuidada, como falamos nos capítulos anteriores sobre aceitação e autoestima. É comum, e você já deve ter percebido o quanto é fácil, cair na armadilha do julgamento, afinal, o cérebro humano julga em segundos.

Sempre que vemos uma atitude, comportamento ou algo de que a gente discorde em relação ao outro, entramos numa esfera de julgamentos. Só que fazemos esse julgamento sem nem saber o que aquela pessoa passou para pensar ou agir daquela forma.

Não sabemos os valores do outro, seus registros emocionais, o que reverberou na sua infância até sua idade adulta, e dessa forma não somos capazes de entender o que leva as pessoas a agirem pela mente "certa" ou pela mente "errada".

Já dizia o mestre: "não julgueis para não seres julgados" e "não condeneis para não seres condenados". Somos julgados na mesma medida que julgamos, e talvez por isso muitas de nós tenham tanto medo de julgamento. Nosso inconsciente sabe que julgamos demais sem perceber.

A questão é que julgamos demais a nós mesmas. E você pode estar aí esperando Deus descer do Céu com um cajado e colocá-la num tribunal para que você tenha um veredicto a respeito de algo que fez. Para Deus somos feitos à sua imagem e perfeição. Já estamos sendo julgadas em vida por nós mesmas dentro de nossa mente errada, egoica, e infelizmente criaremos e reproduziremos situações difíceis para nossa realidade, pois a mente que se entende culpada automaticamente projeta que merece castigo, e assim atrai para sua vida essas situações de sofrimento.

Como assim, Rafaela? Isso mesmo. Sabe quando você faz algo que intimamente sabe que está errado, dentro da sua concepção de valores, e logo começa a se mutilar internamente e se chicotear por ter feito aquilo? Então: esse é o seu juiz interno, implacável, dizendo que você não é perfeita. Você passa a repetir isso para si mesma e se culpar pelo que fez. Pode até não ser grave, mas você reconhece aquela situação como ruim e começa a punir a si mesma por ter feito aquilo.

Aí o que acontece? A sua vibração muda. Porque a vibração da culpa é uma das mais baixas de todas. Então, a prática do autoamor pode reverter esse processo. E por meio do amor também curamos as relações. Você pode modificar os relacionamentos e dissolver os aspectos negativos neles quando começar a enumerar no outro as coisas de que você gosta e principalmente quando compreender que o outro é um ser dotado da centelha divina e em evolução, assim como você. Lembre-se do ciclo de criação da realidade e do seu papel de observadora: você está projetando e influenciando tudo a sua volta, inclusive os seus relacionamentos.

Particularmente conheço inúmeros relacionamentos que foram recuperados pelo poder do amor verdadeiro, o amor crístico. Porque o que acontece é justamente o contrário: a maioria das pessoas procura tentar mudar o outro, e quando a gente tenta mudar o outro, está fazendo tudo, menos dando amor. Quando criticamos ou achamos que o outro está errado e nós estamos certas, também estamos vibrando longe do amor.

Mas, Rafaela, então vou deixar que me maltratem ou me desprezem?

Dar amor não significa deixar que as pessoas a desprezem ou maltratem, porque, quando você permite que o outro faça isso com você, está justamente descumprindo um único mandamento: amar a si mesma.

Quando você se norteia pelo amor a si mesma, sabe que não merece pouco e começará a dar mais a si, e começará a receber nessa mesma vibração. Você não merece desprezo, nem relações tóxicas. Merece amor, e isso reverbera de dentro para fora. Quem se ama inevitavelmente acaba conquistando relações mais saudáveis. Porque quando não nos amamos, nos contentamos com pouco e ficamos em relações mornas ou relações que simplesmente tapam um buraco, um vazio existencial. É importante perceber se dentro do seu relacionamento você está amando tanto a si mesma quanto amando verdadeiramente o parceiro. Porque muitas mulheres partem do princípio "ruim com ele, pior sem ele" e vivem anos de escassez, já que não desfrutam da felicidade real com medo de ficarem sozinhas.

Não estou dizendo que você precisa fabricar amor ou procurar qualidades numa pessoa de que você não gosta a ponto de se relacionar intimamente. Afirmo que, no momento em que você estiver amando mais a si mesma, seus sentimentos estarão vibrando numa frequência que fará com que só pessoas na mesma frequência surjam na sua vida.

Entenda, em primeiro lugar, que você não é responsável pela felicidade de ninguém e que cada pessoa é responsável pela própria felicidade.

Assim, tome consciência de que o elemento fundamental para atrair um relacionamento com amor, por exemplo, é praticar o autoamor.

A estudiosa Rhonda Byrne diz que deveríamos imaginar as pessoas como *personal trainers* emocionais. Ou seja: deveríamos entender que as pessoas mais difíceis talvez sejam as que levam a gente ao nosso limite emocional, e são essas que nos exigem a força do amor. Alguns *personal trainers* emocionais podem lançar mão de todos os tipos de situações e táticas para desafiá-la, mas não caia nessa armadilha.

Agora, voltando a *Um Curso em Milagres* para lhe trazer algumas pérolas de consciência, quero que saiba que aqui na nossa dimensão, onde o ego tem influência, os relacionamentos podem ser de dois tipos: relação santo saudável e relação especial.

A relação especial se subdivide em dois tipos que fazem parte das bordas que citei anteriormente quando falamos de caminho do meio: relação especial de ódio e relação especial de amor.

A especial de ódio é a mais clara e funciona da seguinte forma: "tenho ódio de você, e isso está claro". A pessoa está na sua mente, e a relação é clara. Clara aos nossos olhos turvos pelo ego que pensam que o outro me fez algo que justifique a raiva que temos dele. Ainda não percebem que aquilo que percebo no outro faz parte da projeção que lancei para fora, do meu mundo interno. Ou seja: só consigo ser ferida se aquilo tocou em algum ponto que ressoa dentro de mim, numa sombra ali que escondi debaixo do tapete.

Vejo mulheres que foram criadas para serem boas meninas e, conforme cresceram, começaram a odiar certas atitudes e comportamentos que elas julgavam errados no outro. Uma delas tinha muita raiva dos acessos e explosões do marido, mas ela só odiava aquilo nele porque, assim como a personagem Malévola dos contos de fadas, ela própria tinha um dragão adormecido dentro dela. Como não conseguia "explodir" como ele, aqueles acessos provocavam sua fúria, porque ela o julgava inferior, já que tinha aprendido a vida toda que era preciso domar nossos demônios internos.

A confusão entre domar e reprimir os sentimentos é tanta que muitas de nós acabamos deixando aspectos adormecidos que, quando surgem no outro, nos provocam reações desenfreadas.

Na relação de amor especial, aparentemente bonita pelo nome "especial", mora um grande problema, pois pensamos que amamos, e não amamos. Ela se constitui num véu para o ódio. "Eu te amo até que você faça tudo o que eu quero, eu te amo pois você é assim, ou faz isso ou aquilo por mim, ou te amo porque você me ama."

Amor incondicional é justamente sem condições. Ou seja: amo porque amo, porque sou o amor e vibro aquilo que tenho consciência de que sou. Ouvi certa vez um pai conversando com um filho. Ele dizia "Eu te amo", e o filho dizia "Você me ama porque eu sou bonito?". O pai respondia que não. O filho então perguntava: "Você me ama porque eu sou inteligente?". O pai respondia que não. As perguntas seguiam, até que o pai dizia: "Eu te amo porque você é você".

Muitas vezes condicionamos o amor. As pessoas que estão ao nosso redor não são amadas incondicionalmente. Amamos quando elas são do jeito que gostaríamos que fossem. Por exemplo: tenho uma colega que dizia que amava seu marido; no entanto, sempre havia um "mas" logo após sua declaração. Ela dizia que o amava, mas quando ele falava sobre mudar de profissão ou deixar a carreira que tinha, ela pensava se gostava realmente dele. "Eu tinha me apaixonado por um advogado famoso e não queria que ele se tornasse um aventureiro qualquer."

Ela sabia que a busca pela carreira que era a paixão de vida dele estava longe do Direito, mas ela o amava como advogado bem-sucedido. Seu amor estava condicionado, e ela não conseguia cogitar a hipótese de vê-lo longe daquela profissão.

Durante muito tempo ele sustentou uma máscara a fim de preservar o casamento. No entanto, quando decidiu colocar um ponto final naquela carreira que o deixava infeliz, ela disse que não amava "aquela nova versão dele".

Essa é só uma amostra de como condicionamos o amor. Amamos alguém se aquela pessoa é do mesmo partido político que nós, ou se segue a mesma doutrina religiosa. Aí pergunto: amor incondicional requer condições? Amor incondicional requer que preenchamos um questionário que nos responda se aquela pessoa é digna de nossa afeição?

Se vivemos uma relação com amor condicionado, quando alguma coisa muda, eu deixo de amar. Esse é um tipo de amor que gera posse e sofrimento. Você já deve ter ouvido falar que amar é sofrer, e agora quero que saiba, de uma vez por todas, que amor verdadeiro não traz dor. Sócrates já dizia: "A luz não pode trazer a escuridão, assim como a escuridão não pode trazer a luz".

Tem pessoas que confundem comodismo e apego com amor. Laços com amor. Muitas mulheres criam a pessoa ideal em suas mentes e vão em busca dessa pessoa ideal. Essa busca incorpora nossas projeções. Você já deve ter ouvido falar, quando criança, que encontraria a sua metade, certo? Pois bem: é por isso que vemos muitas metades acreditando que serão inteiras ao terem alguém.

Não existem relacionamentos com duas metades. Apenas com dois inteiros. Dois inteiros que se complementam e complementam suas existências partilhando sonhos e os construindo juntos.

Para começar, vou fazer uma perguntinha básica: será que você se conhece profundamente para atrair alguém por inteiro? Uma pessoa que está pela metade atrai alguém pela metade, e isso vira um ciclo infinito: lidamos com imagens que estavam dentro de nós, em vez de lidarmos com o outro.

Quando começam as desavenças entre os casais, um aponta os defeitos do outro e entra na defensiva. É um eterno ciclo de altos e baixos que cria uma bola de neve. Ninguém consegue entender onde ficou parado aquele amor, e isso cria uma confusão danada, porque, na maioria das vezes, não queremos admitir que acabou, e ficamos nos perguntando se era amor desde o princípio.

Poucas pessoas conseguem trazer para si a responsabilidade pelo que ocorre na relação, e é desafiador transformar essa relação numa relação saudável e santa – a tão buscada relação de amor perfeito.

Já vi muitos casais que começaram relacionamentos logo após o término conturbado de relações anteriores. Ambos estavam emocionalmente destroçados e deprimidos. Um acabou se atraindo pelo campo vibratório do outro. Eram campos cheios de carência, sem autoamor, entristecidos.

O que aconteceu foi que esses dois seres humanos que estavam pela metade começaram a relação, que, adivinhe: também acabou com os dois machucados. Eu mesma, na adolescência, vivi essa experiência, e posso dizer que encontrei o meu inteiro quando me percebi, conheci e reconheci como inteira, como já lhes contei em capítulos anteriores.

Assim, uma relação de verdade nasce quando ambas as partes de uma relação, tanto de amizade quanto conjugal, se entendem como responsáveis pela projeção externa. Se essas pessoas são íntegras, se perdoam e se amam profundamente, nasce a chama do amor santo saudável.

Então, Rafa, qual o pulo do gato?

Antes de mais nada, voltar para dentro e se conhecer melhor, se perdoar e amar a si própria profundamente, e diminuir as projeções e expectativas sobre o outro. Assim, ao invés de atacar, passo a entender profundamente quem está diante de mim, e a compreensão é uma das chaves da empatia e das relações santas e saudáveis.

Por isso, minha querida, ao ter filhas e/ou filhos, ajude-os a buscarem o autoconhecimento antes de se enamorarem. Quanto mais cedo se conhecerem, reconhecerem seus sentimentos e emoções, quanto mais cuidarem da sua vibração, menores serão as chances de sofrimentos nessa fase de namoro.

Quem está em conflito conjugal geralmente não sabe se deve insistir ou desistir. Por isso peço que façam o exercício do perdão a si mesma e ao outro. Dessa forma, o amor pode se tornar amor santo e viverem juntos como casal. Caso a chama do amor entre homem e mulher tenha dado espaço a um amor fraternal e vocês tenham certeza disso, podem seguir em frente na certeza de que, como casal, sua missão foi cumprida, e você continuará amando de outra forma aquela pessoa que construiu uma história com você.

Quem pula etapas e rompe antes dessa certeza de transformação do amor não está pronta para partilhar e desfrutar de um amor íntegro e perfeito. Percebe como sair de um ciclo inacabado pode fazer com que você pule para outra relação que também será incompatível com você?

Temos a chave do nosso coração, e ninguém pode abri-lo a não ser nós mesmas. A questão é que guardamos a chave com medo. Sabe aquele medo que dá de amar e ser ferida? Acreditamos que as pessoas podem usar e abusar desse amor, por isso, seguimos defendendo nossa chave e criando barricadas contra o amor.

Quando fazemos isso, ficamos com medo da entrega. Temos medo de sairmos machucadas e não entendemos que a parte ferida é justamente constituída pelo ego.

O ego traz armadilhas e nos faz sentir profundamente feridas. Mas o que fazer dentre tantos ferimentos no ego? Que tal agradecer, mesmo que mentalmente, aquele que a feriu e a ajudou a se desfazer de algo de que não precisava? É só assim que podemos encontrar novamente a chave do amor, porque se ficamos na sofrência, lamentando eternamente os ferimentos que tivemos, não somos capazes de enxergar o amor de verdade.

Se você está num casamento que não faz mais sentido e está acomodada naquele processo, o casamento precisa terminar quando há amor para desejar felicidade para o outro. Se não consigo ser feliz, não estou conseguindo fazer aquela pessoa feliz com plenitude, e por favor, faça isso antes que comece a gerar débitos negativos para si com traições, mesmo que no nível mental, com menos-valia, ou até mesmo travando a outra pessoa de ser feliz por inteiro. Saiba que sou a favor de fazer várias investidas para manter a relação. O que afirmo aqui é que há que se ter um cuidado nesse tempo investido em recuperar a relação, para evitar aumento do desgaste e mais mágoas. Nunca deixe que o seu ego mostre que o amor morreu. Como disse anteriormente, você é amor, e isso não morre; os papéis se transformam durante nossa caminhada evolutiva.

É importante dar voz à sua essência, em vez de ficar dando bola para o ego, que quer que ataquemos, culpemos e fiquemos encontrando culpados.

Aí entra uma nova história, porque também existe a possibilidade de encontrar algo no outro que está camuflado e reprimido em você. Lembra aquela emoção com a qual não conseguiu lidar e que acabou reprimindo? Aquela raivinha inofensiva que você bloqueou em determinado momento porque queria ser a boa menina e não podia sentir raiva? Pois é, ela continua aí dentro, e você acaba atraindo alguém com aquilo em algum grau.

Entenda que seu companheiro é seu espelho ambulante. O que mais a incomoda é o que está dentro de você, e muitas vezes é uma sombra que você quer negar.

Quando podemos ver as pessoas como elas são, libertando-as de julgamentos, surge uma nova realidade. Chegamos a um lugar onde assumimos e abraçamos todas as características que existem dentro de nós. É quando ficamos livres para amar a nós mesmas e todos que estão no mundo. É quando experimentamos a real liberdade.

RELAÇÃO COM OS PAIS E A PROSPERIDADE

Nem sempre entendemos nosso sistema familiar. Já contei dos inúmeros desafios que tive com minha família – tanto com minha mãe, por conta de ciúmes que eu tinha da relação dela com os meus irmãos quando pequena, quanto com meu pai. Acredito, inclusive, que minha prosperidade deu um salto quando consegui transformar a relação com meu pai, aceitando as escolhas dele, mesmo que eu não as aprovasse.

Quando falamos de prosperidade e abundância, é importante entender que isso começa no plano extrafísico e mental. Ou seja, a lei da abundância está sustentada pela gratidão, e o pilar número um é a gratidão pela vida. Todas as gratidões que vêm depois são por gratidão à vida.

Bert Hellinger, o pai da Constelação Familiar, diz que a vida nos trata como tratamos nossa mãe. É aquela que nos nutriu, que nos deu a vida. Entenda que neste livro estamos tratando de todos os aspectos que impedem ou ajudam a construir a verdadeira prosperidade e a Vida Divina na Terra, e uma das questões que mais nos impedem de chegar a esse estado próspero é a dificuldade com a mãe.

Existem três leis que Bert Hellinger diz que podem travar esse processo de aceitação da mãe. O primeiro é não acolher a mãe. Muitas pessoas julgam a mãe. Eu mesma só passei a entender a minha mãe, de fato, depois de me tornar mãe.

Já passei por situações em que eu tinha ciúmes da minha mãe e mágoas, e isso veio trazendo emaranhados sistêmicos a minha vida. É importante compreender, para entender a importância de honrar a mãe. Se você não se sente pertencendo à família, existe uma exclusão sistêmica – muita gente se sente excluída do núcleo familiar.

Também é importante entender a lei da hierarquia. Aliás, você sabia que existe uma hierarquia na família? Pai, mãe e filhos.

Muitas vezes, nesse emaranhado sistêmico, quando os filhos querem resolver uma situação dos pais ou julgam a mãe, isso quebra o processo de hierarquia. O resultado? Escassez.

A terceira lei é a do equilíbrio de troca – dar e receber. Nunca vamos conseguir retribuir na mesma medida, mas, ainda assim, devemos gerar esse amor incondicional, que é uma das Leis da Prosperidade e Riqueza.

Por mais que se ligue à figura da mãe, o pai também tem uma figura importante nesse sistema. O pai é aquele que dá força à vida, que impulsiona. Quando há um equilíbrio em que a filha fica mais com a mãe e exclui o pai daquele círculo, sempre muito importante esse equilíbrio sistêmico, muitas vezes está liberado o fluxo, mas aquela mágoa ou relação gera uma culpa inconsciente.

E como todo culpado merece castigo para a mente que mente, você cria e atrai obstáculos na sua vida e não se permite viver. Muita gente é mais segura na tomada de decisão porque não deixa fluir essa força vital. Por isso pergunto: como anda sua gratidão ao seu pai?

CARTA PODEROSA DE CURA
PARA RELACIONAMENTOS

Faça esta carta de cura – seja para o seu pai, sua mãe, seja para seu cônjuge. A estrutura é a mesma. Não se preocupe com o que vai escrever, porque a ideia não é entregar a carta, e sim colocar no papel tudo que vou ensinar.

A carta pode ser feita em quatro etapas:

ETAPA 1

NOME PAI – MÃE – RELACIONAMENTO AFETIVO

Coloque o nome da pessoa e deixe fluírem emoções e sentimentos que vierem.

Ex.: Papai José Horta, vim aqui lhe falar do fundo do meu coração sobre algumas coisas que eu tinha guardado só para mim e que precisam sair para nossa vida fluir melhor. Sabe aquele dia... eu me senti...

Deixe fluir e escreva. Reclame do que sente que precisa reclamar e coloque para fora tudo aquilo que está dentro de você.

ETAPA 2

Sinto tudo isso porque eu tinha a seguinte expectativa... Eu esperava que você compreendesse que nessa fase da vida eu precisava de você... (lembre-se de que frustração, mágoa, raiva, vêm de não atendimento de expectativas, então aqui deixe bem clara a sua expectativa).

Depois de colocar para fora tudo que vier à mente e ao coração, explique que tinha a expectativa e escreva qual era a expectativa.

ETAPA 3

Agradeça!

"Digo isso porque eu te amo e desejo ter uma relação melhor com você, sou muito grata por ter me dado a vida e esta família maravilhosa junto da minha mãe..."

ETAPA 4

Pegue a carta, assine, leia tudo, para trazer à consciência, e em seguida queime a carta, para transmutar a energia. Enquanto estiver queimando, sugiro que ore um Pai Nosso ou outra oração de sua preferência e mentalize que esse processo está saindo de você, sendo entregue a Deus e trazendo amor e prosperidade à vida de todos os envolvidos.

SAÚDE E PROSPERIDADE

"A raiz dos problemas físicos está na atitude interior, frente às situações do cotidiano. A postura da pessoa é determinante para preservação da saúde, e os conflitos interiores desencadeiam as doenças que afetam o organismo"

Metafísica da saúde

Ninguém consegue ser próspero sem saúde. Ao longo da vida, muitas pessoas se deparam com questões físicas que nos preocupam. A maioria delas acaba buscando na medicina alopática a solução para os sintomas das doenças que surgem, e perpetuam os hábitos, comportamentos e pensamentos que geraram a doença.

Por isso vou falar agora sobre a saúde e a prosperidade, afinal, ambas estão intimamente ligadas pelo elo de seu sintonizar com a mente certa, a mente sagrada. Porque, se existe uma coisa que é a prova cabal de que o processo de prosperidade está emperrado e fadado ao fracasso, é quando surgem sintomas físicos que provam que estamos sabotando a nós mesmas.

O corpo sempre nos diz alguma coisa. O corpo é uma espécie de sensor que acusa o modo como o indivíduo lida com os acontecimentos, e, segundo os estudiosos da metafísica da saúde, cada parte do organismo reflete uma emoção. Portanto, as alterações metabólicas têm origem no desequilíbrio emocional. Todos enfrentamos obstáculos, porém, cada um reage de determinado jeito. Dependendo do modo como se enfrentam as adversidades, produz-se determinado estado emocional. Dependendo dessa condição interior, mantém-se a saúde ou são provocadas as doenças.

A doença vem num nível mental e sempre nos envia um sinal. Quando você começa a entender o mecanismo e o que gera aquela doença, vai na causa raiz e compreende o que leva à doença.

Contive raiva durante muito tempo, e minha filha mais velha tinha infecção de garganta porque eu deixava de falar algumas coisas que precisavam ser ditas, por medo de explodir e estragar tudo.

Você pode estar se perguntando: "Mas, Rafaela, então como se explica a gripe, que é provocada por um vírus?".

Apesar de os agentes físicos causadores das doenças estarem presentes, elas ocorrem num ambiente emocionalmente propício àquela manifestação. Melhor dizendo, num momento de turbulências existenciais, que provocam certos conflitos. Os sentimentos se desestabilizam, desorganizando os sistemas do corpo; isso causa vulnerabilidade, facilitando a manifestação da doença.

Resumidamente, pode-se dizer que uma pessoa saudável é aquela que lida com os acontecimentos com naturalidade. E alguém que está doente é aquele que não está lidando bem com alguns acontecimentos – pode estar se queixando, indignando-se com facilidade e/ou lida com os acontecimentos de maneira conflituosa.

Esses dias, conversando com uma amiga, ela contou que estava com refluxo fazia mais de um mês. Ela contava como sofria por conta do desconforto gástrico, e perguntei quando aquilo tinha começado. Ela respondeu:

– Tenho engolido tantos sapos que nem cabem mais dentro de mim.

Ela já tinha consciência de que havia situações que não tinham sido digeridas, e lembrou-se exatamente do dia em que aquilo tinha começado, após uma situação específica no trabalho. Logo que se deu conta, disse:

– Preciso resolver isso, senão vou tomar remédio a vida toda, né?

As doenças são um sinal, a sombra de um pensamento distorcido e maligno que parece ser real e justo tal como o mundo o utiliza. A doença é a materialização do desequilíbrio em níveis anteriores.

Para conquistar saúde e melhorar a qualidade de vida, precisamos promover significativas mudanças, começando dentro, para depois proceder no meio. O primeiro passo é reformular as crenças. Em seguida, mudar a visão de mundo, interpretando os fenômenos exteriores de maneira menos conflituosa. Por fim, adotar novas atitudes, relacionar-se melhor consigo mesma e com os outros, respeitar seus limites e cuidar do corpo. Se você está tendo algum processo de materialização no seu corpo ou enfermidades, muitas vezes começou num nível mental, emocional ou espiritual.

Comece a pensar no que aconteceu fisicamente com você nesse último ano e se conecte mais consigo.

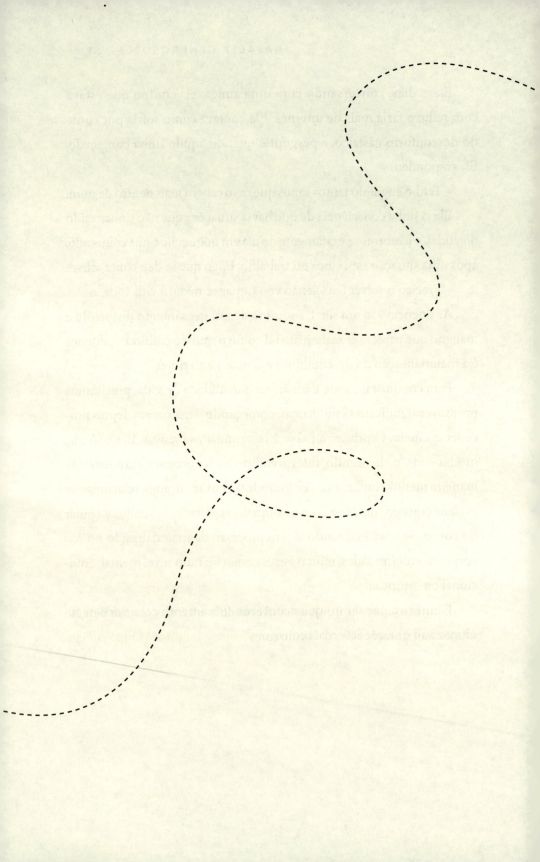

POSICIONAMENTO PRÓSPERO NO TRABALHO

Esse é um assunto do qual muita gente foge. Mulheres cresceram com tantas crenças relacionadas ao trabalho que muitas, mesmo que inconscientemente, não se sentem merecedoras do dinheiro. Elas trabalham muito e não valorizam o próprio trabalho. Por essas e outras, deixam de ampliar as suas possibilidades e prosperar financeiramente.

É curioso que, sempre que converso com algumas alunas, detecto as mesmas situações se repetindo num *looping* infinito. Muitas vinham atraindo clientes que vibram escassez e só compram por preço. Certa vez me deparei com uma aluna que tinha criado um produto digital e lutava para vendê-lo. Perguntei por que ela não aumentava o valor, e a resposta foi:

– Rafinha, se as pessoas já reclamam para me pagar R$ 297 pelo meu produto online, como elas vão querer pagar R$ 2.000 ou R$ 3.000 por um programa de *coaching*?

Essas pessoas estão desalinhadas do fluxo da prosperidade. Na verdade, era só a mente acreditar que aquilo era possível e o coração se sentir merecedor por entregar um bom trabalho. Mostrei o que estava desalinhado nela, trabalhamos seu *mindset* e falamos sobre como ela poderia usar o mesmo conteúdo do curso que já estava gravado e modificar sua oferta, entregando mais valor com a nova metodologia.

Depois que ela aceitou, era como se virasse a chavinha. Foi um verdadeiro clique que mudou a percepção e fez com que ela dobrasse o faturamento.

Nesse momento é possível que isso esteja acontecendo em sua vida. Por causa de um posicionamento, você tornou-se refém de um preço que cobra pelo seu trabalho e não entende que pode agregar valor mudando seu posicionamento, aprofundando mais a especificidade do que entrega.

Ter um posicionamento próspero está intimamente relacionado com o que você vibra, e, conforme você aprendeu aqui, o que você vibra está intimamente relacionado com o pensamento que você emite. Ou seja, se você tem uma mentalidade escassa, se diz que seu trabalho é bom, mas não acredita que ele seja bom o suficiente, seus pensamentos e as suas vibrações vão traí-la.

No curso Vida Divina da nossa Academia, é feita uma sessão individual com cada aluna para descobrir o seu diferencial, desenhar o seu cliente ideal e, a partir daí, com técnicas específicas, ativar o DNA de diferenciação daquela profissional e montarmos juntas o posicionamento próspero.

Um exemplo interessante de especificidade foi uma aluna cujo posicionamento era ser *coach* de relacionamento para mulheres. Isso já é um bom posicionamento, ela já tinha um bom retorno financeiro, mais de R$ 30 mil por mês. Ela deixava claro que ajudava essas mulheres a encontrarem seu par, ou seja, não atendia homens em seus programas.

Após fazermos a nossa sessão, foi identificado que não era para toda mulher que ela desejava vender os seus cursos, e sim para aquelas mulheres que são bem-sucedidas profissionalmente e estão solteiras em busca do mesmo sucesso na área afetiva.

Foi uma sutil mudança que deu uma guinada nos seus negócios, multiplicando os resultados financeiros. Sua alegria aumentou, assim como ficaram ainda melhores os resultados das suas clientes. Hoje ela é referência nacional na sua área de atuação.

Conheço mulheres que querem ser prósperas no trabalho e ainda precisam primeiro convencer a si próprias de que o trabalho que oferecem tem valor. Uma das minhas alunas que é nutricionista e *coach* de emagrecimento cobrava R$ 497 por dez sessões de *coaching*, não sabia montar grupos de atendimento nem trabalhar online, quando entrou na nossa Academia Vida Divina. Após se alinhar ao fluxo, criar um posicionamento próspero e aprender as estratégias de negócio que ensinamos, atende agora noivas que desejam emagrecer e se sentir ainda mais lindas no vestido que quiserem vestir nesse dia tão especial. Atualmente ela já tem clientes fora do Brasil, cobrando mais de seis vezes o que cobrava inicialmente. Você nem imagina o tamanho da minha alegria quando ela contou que fechou sua primeira cliente internacional, na Alemanha.

Dentre essas mulheres com que convivo no curso e em palestras, conheci uma, há algum tempo, com a crença de merecimento que veio da infância. Com uma mãe rigorosa que menosprezava tudo que ela fazia, cresceu acreditando que aquilo que fazia não era bom o bastante. Assim, em seu primeiro emprego, mesmo buscando a excelência, sentia que não era boa naquilo e tinha medo de entregar aquele trabalho.

Mesmo que as pessoas enxergassem um trabalho de boa qualidade, ela não conseguia cobrar por ele, porque nunca acreditava que estava bom o suficiente. Ela simplesmente vibrava medo sempre que entregava um trabalho, e se acovardava diante da vida.

Sua vibração fazia com que ela atraísse sempre chefes extremamente exigentes, como tinha sido sua mãe, e isso fazia com que ela se dedicasse até chegar ao nível da loucura, porque nunca estava bom o bastante.

Percebe como a vida vai trazendo oportunidades sagradas para que possamos entender o que está dentro de nós? Não era fora que ela precisava identificar a conduta dos seus superiores: era dentro dela. Eles a diminuíam, e ela aceitava aquilo, porque dentro dela aquilo ressoava. Quando recebia um elogio, não sentia como verdade, mas, quando recebia uma crítica, ela se punia e se culpava, como se a voz de sua mãe ainda estivesse viva dentro dela.

Se você se identificou com essa mulher, perceba dentro de você o que a faz cobrar menos pelo seu trabalho. Veja o valor que cobra hoje e pense em dobrar essa quantia. Qual a sensação que isso causa em você? Fica assustada com o número e não acredita que alguém será capaz de pagar? Ou acha justo, porque seu trabalho é bom?

Seu posicionamento é próspero ou não dependendo do que você pensa e reflete em sua vibração sobre esse pensamento. Nunca me esqueço de uma amiga que certa vez foi a uma reunião munida de todos os argumentos para cobrar determinado valor pelo seu trabalho. Mesmo com todos os argumentos, a energia dela lutava contra. A energia que emitimos fala mais do que as palavras que soltamos. Podemos ter um excelente argumento, mas, se não acreditamos nele, a força da palavra não convence ninguém.

É só observar os bons advogados: eles são bem pagos porque parecem acreditar no que dizem, e os argumentos nem convencem tanto quanto a autoconfiança que emitem diante do tribunal.

Voltando ao seu posicionamento próspero no trabalho, poucas pessoas se dão conta de que o tipo de cliente que atraem para si mesmas tem a ver com a vibração que emitem. Quando você está em encontro com sua essência e faz o seu movimento natural, permite ser conduzida pelo fluxo universal da vida e acaba atraindo aquilo que você procura, e que você EMANA.

Se você é uma profissional que cobra barato, vai atrair clientes que estão buscando alguém barato, pois estarão na mesma frequência. É como se a sua energia estivesse estampada na sua testa. Não adianta fazer de conta.

Uma mulher acostumada a comprar bolsas de marca dificilmente irá comprar uma bolsa barata, mesmo que façam a melhor campanha do mundo dizendo que a bolsa barata é melhor.

Resumindo, se você estiver vendendo preço, vai atrair clientes que estão buscando preço; mas o contrário também é verdade, e se você estiver vendendo valor, vai atrair clientes que estão buscando valor – e estes são clientes que irão se comprometer mais, e com isso você obterá melhores resultados.

Sempre fui defensora da teoria de que o posicionamento próspero está alinhado à nossa missão de vida. Por isso parece que tem tanta gente com a vida fluída quando está no caminho certo e emperrada quando tenta fazer algo "só" por dinheiro.

A recompensa financeira sempre vem quando entendemos que estamos entregando algo. "Mas, Rafaela, por que preciso cobrar caro pelo meu serviço?"

Mais uma vez digo: caro e barato não existem. Existe o valor que você coloca no seu trabalho. Quando você trabalha com pessoas com maior poder aquisitivo, em tese bem-sucedidas, vai impactar indiretamente todas as pessoas que são testemunhas dessa transformação, e com isso será mais fácil as pessoas perceberem a transformação nessas pessoas que já estavam em evidência. Assim, você vai expandir sua mensagem para essas pessoas também.

Outro fator muito importante é que existe uma enorme vibração de escassez relacionada aos baixos valores pagos por algo e o impacto na mente da pessoa. Geralmente, nos diversos cursos e livros que compramos e pelos quais pagamos barato, é comum a pessoa não fazer nada com a informação que consegue, até porque é um dinheiro que não vai fazer muita falta.

Mas experimente pagar mais caro para aprender uma coisa. Você automaticamente se compromete mais, consequentemente toma ação e tem mais resultado. Por isso que falo que, se você quiser clientes que tenham resultados mais profundos, aconselho fortemente a criar um programa que tenha preços nobres, afinal, eles gerarão maior comprometimento e melhores resultados.

Concorde você ou não, nada confere mais autoridade a um especialista do que o preço que ele cobra, porque infelizmente as pessoas associam barato a ruim, e caro a bom. O principal fator aqui é você ter consciência do alto valor que está gerando para seus clientes e se sentir segura e bem com isso.

Cobrar preços premium é o meio mais rápido de você se tornar uma AUTORIDADE. Ainda que autoridade seja algo relacionado ao EGO, na grande maioria das vezes é com ele que você está lidando. Sua ESSÊNCIA deseja trabalhar com a essência do outro, e você precisará de sabedoria para utilizar os recursos necessários para cumprir com excelência a sua missão.

Estando nesse fluxo e com menor esforço, você começará a enxergar inúmeras oportunidades alinhadas a sua missão de vida. Outro ponto fantástico é que nessa fluidez as "coisas" começam a dar certo como num passe de mágica, pois você atrairá diversas oportunidades de parcerias com pessoas prósperas, o que vai levar seu negócio e sua vida para outro nível.

É como se certa magia acontecesse favorecendo a sua prosperidade. Como se a vida colocasse diante de você as oportunidades certas para viabilizar tudo aquilo de que você precisa. Como se a sua missão de alma fosse algo que o Universo recompensasse. Acredite: não há nada mais próspero no Universo do que seguir a missão de alma e fazer o que você sente que precisa fazer, mesmo que ainda não saiba como o resultado financeiro chegará. É só colocar em prática aquilo que deseja e deixar o fluxo. Ao mesmo tempo, use as ferramentas que estou explicando aqui: se você quer ser, precisa se sentir daquela forma.

Uma amiga me dizia, quando éramos mais novas, que, antes de ter a promoção esperada, ela se portava como se já tivesse aquele cargo. Era curioso que, sempre que havia a promoção, ela era a escolhida, como se o cargo fosse dela desde sempre.

Conheço um jovem chamado Marcos Rossi que nasceu sem os braços e as pernas por causa de uma síndrome. Em determinado momento, ele decidiu que seria palestrante, mesmo sem ter feito nenhuma palestra. No dia em que decidiu, fez um cartão com seu nome e escreveu "Palestrante". Foi a um evento e, conversando com um palestrante, este perguntou se ele não queria fazer uma palestra.

Ou seja, mesmo sem nunca ter feito, ele já se colocava para o Universo como palestrante, e aquilo fez toda a diferença.

Então, a sua energia pode ir a seu favor ou contra você. Se você quer ser palestrante, por exemplo, mas não se acha capaz, certamente as pessoas que não a consideram capaz se aproximarão de você com receio, e de alguma forma essas pessoas podem escolher outras que emitam uma energia de autoconfiança.

Lembre-se de que a autoconfiança está intimamente ligada ao posicionamento próspero. Se você se sente segura e confiante com o cabelo escovado, com um *tailleur*, com uma roupa bonita, invista em você, porque, quanto mais se sentir poderosa, mais vai emitir essa energia, e as pessoas irão perceber que você está diferente.

Conheço uma grande empresária que, logo que começou, percebeu que ela era mais bem avaliada quando estava se sentindo confiante, e que se sentia confiante quando estava bem vestida, já que tinha nascido numa região muito pobre. Pois bem, ela acabou se tornando a maior vendedora de sua empresa, chegando a ter participação nos lucros, porque se sentia tão poderosa quando estava vestida para matar que não saía sem fechar um negócio.

Se você está confortável com você mesma, as pessoas sentem isso. Ao mesmo tempo, se você se diminui, acha sua aparência terrível ou se sente estranha, quando está na presença de outras pessoas elas inevitavelmente sentirão isso.

Vamos agora falar um pouco dos preços que você cobra. Agora, seja o mais sincera que puder consigo e comigo. Só existem duas razões para você não cobrar preços maiores pelos seus serviços. Ou você não acha que sua experiência e conhecimentos valem o suficiente, ou você tem MEDO.

Vamos enfrentar isso juntas. Se você acha que sua experiência não vale, é porque provavelmente não sabe exatamente o que está vendendo. E você não está vendendo sua experiência. Você está vendendo o RESULTADO que você entrega, a TRANSFORMAÇÃO. Os clientes não pagam pelo seu tempo ou pela sua experiência. O que importa é se você é ou não capaz de resolver o problema, pois é o resultado que as pessoas compram. Então, você precisa estar consciente do seu valor.

O escritor T. Harv Eker, autor do livro *Segredos da Mente Milionária*, chama esse efeito de "termostato financeiro": quando você chega a um teto de renda e dali não consegue passar.

Lembra-se de alguma vez que viu uma oferta e ficou sem dormir pensando em como ia comprar aquilo? Comigo, por exemplo, aconteceu quando eu e meu esposo decidimos que iríamos comprar um lote para construirmos nossa casa própria, afinal, nosso apartamento comprado na planta fora uma novela de dez anos de atraso, e de repente ficou pequeno com o crescimento da família. Nem chegamos a morar lá.

Assim, dentre as opções, o corretor nos apresenta os lotes do mais novo condomínio da cidade, afirmando que seria o melhor endereço para se morar, o mais seguro, mais bonito e mais luxuoso da cidade.

Essa memória me emociona sempre que volto a lembrar. Fiquei absolutamente encantada com tudo aquilo que ele mostrava, desde o primeiro olhar no projeto do condomínio, a área toda de lazer.

Certamente, quando pensamos na compra do lote, sentimos que era muito além do que a gente tinha planejado pagar, e eu nem sabia como poderíamos pagar. Mas quando vi a piscina, a área *zen*, o espaço *gourmet*, a academia e, principalmente, quando meu esposo bateu os olhos na quadra de tênis, ficamos inquietos e desesperados para fechar o negócio naquele momento. Serena já estava com três meses, e seria maravilhoso as duas crescerem em um lugar assim.

Era como se uma urgência se criasse. O apartamento era a materialização dos nossos sonhos mais perfeitos. Tudo que tínhamos sonhado desde sempre.

Decidimos pela localização, segurança e qualidade de vida e ali construímos nossa casa dos sonhos, saindo do aluguel para oferecer uma Vida Divina para nossa família. E não sei se você já passou por uma experiência dessas, mas uma oferta perfeita, quando você vê, pensa: "Meu Deus, eu preciso comprar isso!".

Quando você compra alguma coisa muito cara, como uma joia ou um carro de luxo, sente um enorme prazer ao adquirir. Isso acontece porque produtos e serviços de alto valor são tão desejados pelo simples fato de que as pessoas que conseguem comprá-los já produzem nelas um sentimento de felicidade. Algo dentro de você ressona para lembrar do seu REAL e NOBRE VALOR. Lembre-se de que, se o que você compra tem um propósito de vida, se fez o planejamento financeiro para adquirir o produto ou serviço, você pode comprá-lo sem culpa.

Agora, responda honestamente: você teria esse sentimento que narrei ao comprar produtos de alto valor comprando em uma loja de R$ 1,99? Certamente não. O conteúdo RICO é algo de tanto valor que vai educar seus clientes para que eles saibam que você é capaz de ajudá-los ANTES que eles cheguem, por exemplo, ao telefone com você. Ele também filtra e qualifica o cliente para você não perder tempo com pessoas que não têm o perfil que você procura ou que se comprometeu a ajudar, pois vibram na sintonia diferente da sua e similar à de outro profissional.

E ele leva automaticamente seu CLIENTE IDEAL a programar uma entrevista com você no telefone. E finalmente você não precisa ficar perseguindo nem tentando convencer ninguém de que precisa do seu produto ou serviço. Só vão agendar uma conversa com você as pessoas que realmente estão interessadas e aquelas que provavelmente você vai poder ajudar.

E por fim, um conteúdo de RICO evita que você perca tempo e permite que feche negócios enquanto se posiciona como uma verdadeira autoridade no seu nicho, ocupando o seu REAL e VERDADEIRO LUGAR.

É importante esse processo de prosperidade, porque ele se expande. Nesse processo, é importante trabalhar as suas crenças, para que você consiga substituí-las. Existe uma enorme lista de crenças em relação a dinheiro, a vendas, a capacidade, a ser rico ou não, que se constituem em travas a sua prosperidade e riqueza.

Essas crenças não a limitam, elas limitam a sua mente, e garanto que certamente você coloca tetos em sua prosperidade. Você não vive com plenitude. É desafiador.

Agora, uma coisa é certa: você precisa se organizar para se expandir. O dinheiro é uma energia a serviço da vida. Ele não é bom nem mau – você quem dá o significado para ele. Tenha clareza da caminhada e do trajeto. Independentemente do salto quântico. Precisamos observar os pequenos sinais da prosperidade.

Agora pare um instante e reflita: qual a mudança que você já implementou na sua vida depois da parte 1 do livro?

_____

_____

_____

_____

Crenças ligadas ao fluxo de escassez podem já começar no útero das mães, onde recebemos informações que ficam grudadas em nossa mente e no campo mórfico do ser em formação. Ou seja, algumas coisas vêm no nível inconsciente.

É importante discutirmos para mapearmos as crenças. Muitas delas estão desde antes de nascermos, outras vieram na primeira infância, e estamos o tempo todo ressignificando as crenças.

Passamos por um modelo porque achamos que isso é felicidade. Isso é uma falácia. As crenças podem vir do sistema, da família, dos amigos, e, acredite: a média das cinco pessoas podem fortalecê-la ou segurá-la. Essa prisão é uma situação de menos-valia.

O que acontece com frequência é que comparamos o palco do outro com os nossos bastidores, não usamos os nossos talentos, e nos sentimos menos que o outro copiando o outro. Sua crença acha que aquele é um modelo de sucesso.

As crenças a condicionam a ficar naquele nível e não passar ao nível seguinte. Faça uma análise de como você se relaciona com o dinheiro e como se relaciona com o trabalho e com a sua família.

Lembre-se de onde você merece estar. Porque de uma coisa tenho certeza: você MERECE uma Vida Divina.

Outra questão importante de perceber é perguntar a si mesma se você gera prosperidade no seu trabalho. Questione a si mesma se seu trabalho gera riqueza para alguém.

Quando observar a maneira como trabalha e o trabalho que exerce, pergunte a si mesma: qual o tipo de valor que você gera no seu trabalho atual? Você faz mais do que esperam que faça?

Conforme falamos nos capítulos anteriores, entregar mais e melhor é sempre uma maneira de gerar prosperidade pela lei da excelência do ser.

Então, sabendo que gerar riqueza e prosperidade para o outro é algo poderoso, reflita: se estivesse no lugar de seus superiores, que valor daria a si mesma? Maior que o atual? Ou não mudaria em nada?

Sempre pergunto para as mulheres se elas teriam elas mesmas como sócias ou parceiras de negócio. Ou se contratariam a si mesmas como funcionárias.

Outro ponto importante é que você estabeleça metas financeiras para os próximos meses.

Abaixo, crie as suas metas para o próximo mês e para o próximo ano.

Na prática é fácil equilibrar as contas, basta dividir em percentuais.

Vamos lá, se você estiver sem dívidas, pode seguir as proporções seguintes:

Reserve 55% para contas gerais (se paga aluguel, não deixe que este ultrapasse 30% dessas contas fixas gerais. Ou seja, desses 55%, só 25% serão para outras contas, como água, luz, telefone, supermercado, caso pague aluguel).

Você pode sempre colocar 10% da sua renda para investir na construção da sua riqueza. Reserve 10% para realizar sonhos, 10% para estudos, afinal, é importante continuar evoluindo e aprender mais sobre sua área de atuação, sobre prosperidade, 5% para doação e presentes (aqui é o equilíbrio de generosidade e caridade, na roda da prosperidade).

Reserve 5% para diversão (aqui muitos excedem a conta) e 5% para planejar suas compras e necessidades.

Agora, se você tem dívidas, seu desafio é um pouco diferente, e será necessário foco, organização e disciplina para virar esse jogo o mais breve possível. Vamos lá:

Reserve 55% para as contas gerais, conforme explicamos acima, 10% para investir na sua riqueza e 15% para pagar suas dívidas (sempre comparando as de juros mais elevados para pagar primeiro, e nesse item vale a pena tomar um cuidado especial com o famigerado cartão de crédito).

Use 5% para sua educação, afinal, se não se disponibilizar a investir para aprender mais, remover suas travas de riqueza e prosperar, você viverá naquela montanha-russa financeira que contei lá atrás.

Mantenha os 5% da caridade e generosidade, assim você envia sinais de prosperidade para seu cérebro; só pode repartir quem é próspero, e mais prosperidade virá para sua vida.

Reserve 5% para diversão e 5% para o planejamento de compras.

Cuide dessas proporções, pois o maior desafio de sair da condição de devedora para investidora é que a má pagadora continua gastando sem antes quitar suas dívidas antigas para poder organizar seu lastro financeiro.

Sei que algumas das coisas "supérfluas" que você consome com frequência precisarão ficar de lado, por um momento, e afirmo que depois você poderá se permitir mimos ainda melhores, ao estar com contas em dia e colocando o dinheiro para trabalhar para você.

Isto eu aprendi com meu pai: "Viva um degrau abaixo do que o seu dinheiro lhe permite e com essa diferença de degrau economize e invista, assim um dia você poderá usufruir de mais conforto e terá a sua independência financeira".

MÃE RICA, MÃE POBRE

Um dos assuntos que tenho abordado com frequência na Academia Vida Divina, nas entrevistas e redes sociais é sobre a relação entre mães e filhos. Muitas de nós perpetuam crenças negativas que estavam enraizadas na nossa mente desde a infância, e fazemos isso sem perceber.

É comum observarmos mães reproduzindo comportamentos e falas que podem criar *chips* de escassez nas crianças. Você certamente já ouviu seus pais dizerem que dinheiro não cai do céu, ou não nasce em árvore. Ou então, que dinheiro é sujo. Algumas mães, inclusive, por viverem intensos conflitos com o trabalho e a maternidade, acabam criando um monstro em torno do trabalho, como se trabalhar fosse algo ruim. A criança cresce vendo a mãe sair chateada para o trabalho, sem qualquer motivação, e isso dói nela, porque a mãe está se afastando dela para fazer algo de que não gosta.

As crenças que se criam na infância na cabeça das crianças e estão relacionadas ao trabalho geralmente são negativas – pois elas já contam com o afastamento da mãe – e afetam a vida toda das crianças. Por isso é importante que a mãe esteja feliz e vibre essa felicidade real, para que ela cresça com o mínimo de travas possível.

Existem bloqueios de prosperidade que você descobriu aqui que podem ter doído em você justamente porque as suas crenças foram colocadas em xeque. Muitas coisas que eu disse ao longo do livro eram novas e você não tinha ouvido, e talvez seu ego tenha tentado manipulá-la fazendo com que você voltasse para o antigo padrão. Aquele padrão em que você duvida, acredita apenas no material e no que seus olhos podem enxergar, e não se abre para todas as descobertas da neurociência e da física quântica.

O que fiz ao longo do livro foi descortinar um novo mundo para que você possa viver uma vida próspera colocando luz nos processos que puxavam a sua energia. Como temos mais tempo no curso, lá eu me aprofundo mais e explico como chegamos à raiz da conscientização sobre como estão suas crenças e como reprogramar sua mente com um *chip* próspero.

Como a ideia não é criar uma apostila de quinhentas páginas para você estudar, caso sinta necessidade de se aprofundar em alguns assuntos, no final do livro mostro como acessar o curso.

As crenças estão instaladas no subconsciente, e a maioria delas foi sendo criada quando éramos crianças. Por isso a importância de cuidar desse aspecto dentro do relacionamento com os filhos.

Outro dia vi uma mãe falando para o filho que não podia sair com dinheiro na rua porque ela seria roubada. Por causa de uma crença, ela instalava uma verdade na cabeça da criança e acionava o mecanismo do medo. Dessa forma, a criança assimilava que dinheiro atraía algo ruim. Logo, a criança cresce com essa programação mental.

Entende a importância de nos atentarmos a esses pequenos detalhes desde que nos tornamos mães? Porque, se estamos trabalhando a questão da mente próspera em nossas vidas, precisamos agir dessa forma para transmitir o mesmo aos nossos filhos.

Já falamos sobre a inteligência emocional, espiritual e harmonia física em relação ao dinheiro e analisamos os quatro corpos que precisam estar alinhados para que tenhamos os fluxos de abundância desobstruídos. Só que, acredite: nada disso pode ter qualquer relevância se você jogar contra você mesma ao criar uma mente escassa nos seus filhos.

Quando a minha primeira filha, Maria Clara, nasceu, fiquei com ela por seis meses até que comecei a trabalhar. Foram meses conturbados, porque eu estava vivendo em casa separada do pai dela, portanto, assim que comecei a trabalhar, senti o coração apertar, mas sabia que precisava, e gostava do meu trabalho.

A minha energia quando saía de casa era positiva, já que eu sabia que aquele trabalho estava gerando nosso sustento. Dessa forma, me sentia grata pelo trabalho e por poder gerar renda para uma filha pequena. Quando ela começou a falar, logo perguntou:

– Mamãe, por que você sai para trabalhar?

Eu estava muito apaixonada pelo trabalho e me alinhei com a explicação de que era a minha missão, além de gerar nosso sustento. Por isso, deixava claro, desde o começo, que tanto o leite que ela tomava como o teto sob o qual vivíamos eram possíveis por causa do trabalho da mamãe.

Era dessa forma que eu tentava contagiá-la positivamente, sempre saindo feliz para trabalhar, porque sabia que a maneira como ela enxergasse a mãe seria o que constituiria as crenças dela em relação ao trabalho no futuro.

Eu dizia frases como "a mamãe ama o que faz, e o dia que você crescer, vai fazer isso". Ela observava com atenção a maneira como eu me portava, como eu me vestia e como me sentia em relação a tudo que fazia.

Era curioso que nesse momento muitas pessoas opinavam sobre a maneira como eu deveria conduzir a questão. Quando precisava viajar a trabalho, eu dizia que precisava viajar, e não a deixava chorando sem explicação. Este aspecto acho importante ponderar: é interessante você, como mãe, avaliar com clareza se está sendo honesta consigo mesma e com seu filho na hora de sair para trabalhar, porque, além de transparecer que gosta do que faz, é preciso efetivamente gostar da sua tarefa. Caso contrário, a criança vai ficar confusa, porque sente algo que não está relacionado às suas palavras.

Assim que a Maria Clara começou a ir à escola, me senti tranquila, e aquela segurança passava para ela. Curioso como muitas crianças têm dificuldade na adaptação escolar justamente porque as mães parecem estar menos preparadas que os filhos para esse momento.

Esse "deixar ir" tem muito a ver com a lei do fluxo. Precisamos perceber que certos ciclos precisam ter continuidade, e outros precisam terminar. Quando temos essa clareza, conseguimos seguir adiante, firmes na nossa decisão.

Portanto, é importante lembrar que, se você não estiver alinhada com a sua missão e com seu propósito de vida, nada acontece, porque a sua insatisfação vai gritar, mesmo que sua atitude seja contrária. Se você colocar a criança na escola sentindo que não está saindo para trabalhar num lugar que preenche você, certamente vai se sentir mal por isso, e a criança perceberá.

Só conseguimos transmitir em energia para as pessoas algo que temos internamente bem resolvido dentro de nós. Ou seja, quando eu saía para viajar e a deixava com a avó, dizia que precisava trabalhar e aceitava aquilo como parte do trabalho. Eu gostava do que fazia, por isso ela reagia bem quando eu dizia seguramente que iria viajar.

Caso eu não estivesse certa do que precisava ser feito, certamente não conseguiria transmitir a energia no meu timbre de voz, e hesitaria ao dizer o que precisava ser dito.

Você já deve ter percebido isso quando dá uma bronca no seu filho e tem vontade de rir. A criança percebe que não é sério, mesmo que você faça cara de brava. Isso acontece porque as crianças, mais do que os adultos, conseguem traduzir e ter uma percepção mais clara da energia que emitimos.

Quanto menos conectados com a mente, mais temos essa percepção. Quanto menos conectados ao intelecto, mais usamos o instinto e a percepção de energia. Basta observar os cachorros: eles sabem quando a energia da casa não está legal. As pessoas podem estar em festa, mas, se elas estão sorrindo e colocando tristeza para baixo do tapete, a energia que será captada será a da tristeza.

Assim, cada vez mais é importante que sejamos honestas com nós mesmas, porque você só consegue ser honesta com seu filho se é honesta com você.

Conforme ela foi crescendo, a maneira como nos relacionávamos com os conceitos de prosperidade e escassez ia mudando. Ela já via e entendia como eu pensava e agia e queria agir de sua própria maneira.

Eu explicava que dinheiro era uma forma de contribuição pelo nosso trabalho bem feito. Sendo assim, ela sempre tinha noção de que eu estava sempre dando o meu melhor e também se esmerava para fazer isso.

Era interessante observar que ela já percebia que o dinheiro proporcionava coisas de que ela gostava, como viajar, comprar brinquedos. Por isso, sempre que eu recebia meu salário, fazia questão de levá-la ao restaurante japonês aonde ela gostava de ir comigo. Era dessa forma que celebrávamos o nosso momento juntas.

Sempre fiz questão de explicar que o dinheiro tinha muitas caixinhas – algumas para as contas que deveriam ser pagas em dia, e outra para se divertir. Eu tentava explicar numa linguagem simples aquilo que ela já conseguia entender.

Logo percebi que precisávamos ampliar o conceito, e expliquei a questão da doação. A doação dos brinquedos com os quais ela não brincava, mas que estivessem em bom estado. A doação das roupas. Dessa forma ela sempre pegava o sapato que não servia mais, para poder doar, e tinha noção de como aquilo era importante.

Os conceitos que eu queria que ela entendesse eram relacionados ao fluxo de entrar e sair. De não acumular para poder gerar mais. Muitas pessoas ficam aprisionadas em reter e prendem o fluxo da vida.

Para poder deixar fluir, como falamos nas Leis da Prosperidade, precisamos nos desapegar de certas coisas, e a doação tanto entra nesse fluxo como ensina o conceito da generosidade e da caridade. Crianças precisam entender a generosidade em ações. Embora elas sejam naturalmente generosas, conseguem desenvolver com facilidade o *chip* da abundância quando ensinamos a prática da doação.

Assim, fui incorporando práticas que poderiam estar relacionadas com a idade dela, e com dez anos a Maria Clara me perguntou quando eu daria mesada, porque seus colegas de escola já tinham mesada dos pais. Brincando, ela disse "ou você me dará uma cadeirada?", relembrando a história de meu pai quando eu pedi mesada a ele.

Eu sempre quis que ela desenvolvesse o potencial máximo dela, que tivesse autoestima e segurança. Como não havia nenhum trabalho que ela pudesse fazer para conquistar seu dinheiro e fazer dinheiro, em vez de ganhar, decidi que seria por meio da prática dos estudos.

Na época ela não era uma garota estudiosa, ainda que tivesse notas muito boas, e eu não gostaria que ela seguisse daquela forma; queria que criasse o hábito de estudar, mesmo que fossem 30 minutinhos diários. Sempre fui muito estudiosa e queria evitar que ela criasse uma comparação comigo se eu apertasse nas cobranças por mais dedicação. Logo, fiz uma sugestão:

– Maria Clara, quando você tirar notas acima de 7 e até 9, você ganhará R$ 5. Caso consiga notas acima de 9, ganhará R$ 10.

Com isso os olhos dela brilharam, e ela criou o hábito de estudar, pois sabia que aquela era uma forma de receber uma recompensa em dinheiro. Aos poucos foi adquirindo mais consciência, até que a ensinei a juntar dinheiro e expliquei que, para poupar, era necessário não gastar tudo que ganhava.

Esse conceito mudou a vida dela, porque passou a administrar o que ganhava e guardar certa quantia para sempre ter e comprar coisas de valores mais elevados. Com onze anos ela decidiu que queria uma fonte de renda maior. Falei que ela então lavasse as vasilhas de casa, arrumasse as camas e mantivesse a organização, e dava a ela R$ 20 por final de semana. Ela adorou e hoje ela dá aula particular para um coleguinha e vizinho. Assim, além de estudar mais, ela o ajuda e recebe por isso.

Alguns estudos comprovam que crianças que crescem com suas tarefas ganham mais noção de responsabilidade e se desenvolvem entendendo a dinâmica familiar como uma troca. Em algumas linhas pedagógicas, como a Waldorf, a escola ensina as crianças a prepararem a própria sopa, cortando legumes, varrendo o ambiente e guardando os brinquedos, desde o maternal.

Em casa, fazíamos como eu achava que ela daria conta. Até que um dia programamos uma viagem para Orlando. Ela perguntou se poderia pedir dinheiro para os avós e tios de aniversário, e cada um contribuiu com uma quantia. Assim ela conseguiu acumular, junto com o que ela tinha, o montante de US$ 385.

Na viagem, ela se sentia independente. Tinha seu próprio carrinho, mas queria entender quanto poderia gastar por dia e fazia contas para isso. Ela fez compras maravilhosas e comprou até objetos de decoração para o quarto dela na casa nova que estávamos construindo no tal lote que contei para você.

Naquele movimento ela parecia saber como lidar com a prosperidade e com a materialização dela em forma de dinheiro. Estava tão feliz que comprou coisas para dar de presente para os amigos e professoras.

Minha filha mais nova, a Serena, que hoje tem cinco anos, também vive querendo fazer dinheiro. Com ela combinamos que ganharia R$ 20 por mês caso comportasse direitinho, repartisse as coisas com amiguinhos e com a irmã, guardasse as coisinhas no lugar. Só que tem um porém: para cada birra que fizesse, perderia R$ 1. Foi assim que começou a desenvolver o autocontrole e também a guardar dinheiro, para ter a boneca dos sonhos dela.

O mais interessante nesse processo é que, conforme vamos percebendo as crianças entendendo os conceitos, mais vamos nos surpreendendo com a maneira como agem independentemente da nossa instrução.

Um dia desses percebi ela conversando com a moça que trabalha em casa e dando a ela R$ 20 porque percebeu que a moça estava sem dinheiro naquele momento. Fiquei emocionada com a cena e a presenteei pelo gesto, para que ela entendesse que a vida é uma troca e o quanto é importante ajudar a quem precisa.

Pouca gente sabe, mas somos feitos com o *chip* próspero desde a barriga. Só que, conforme crescemos, vamos ouvindo coisas dos pais e do meio que entram em nossa mente.

Sempre repito para elas que dinheiro é uma energia a serviço da vida. Não é bom nem mau. Outra frase que coloco na cabeça delas é "Eu sou amor e abundância da cabeça aos pés". Elas repetem e sentem isso desde pequenas.

Também vivo dizendo "Acredite em você, sonhe alto, porque sonhar grande e pequeno dá o mesmo trabalho".

Uma técnica interessante que funciona para reprogramar o inconsciente é falar coisas positivas ao pé do ouvido da criança e bem baixinho, logo nos primeiros minutos após a criança dormir. Isso faz toda a diferença na vida dela.

Conforme as crianças vão crescendo, os desafios aumentam, porque a escola traz valores diferentes que chegam por meio dos colegas, mas refletem as crenças das mães dessas crianças.

Certa vez minha filha chegou em casa e disse que haviam perguntado a ela por que ela não tinha determinada bolsa de marca. Ela estava chateada, e tentei explicar que a marca era só uma marca.

A influência do meio sempre trará novos fatores a serem pontuados, e precisamos saber quando vamos ceder ao meio. Afinal, aprender a dizer NÃO para seus desejos e dos seus filhos é parte importante de uma boa administração financeira.

Uma das coisas que quase me fizeram ceder foi o tal tênis de rodinha que todas as crianças tinham. Acabei não cedendo de início, porque entendo como funciona na cabeça da maioria das mães. Só realmente dei quando percebi que ela tinha maturidade para evitar um incidente ou acidente com aquele brinquedo, e porque foi uma decisão nossa, e não do meio externo.

Muitas mães incutem esse tipo de valor nas crianças, e as crianças acabam se sentindo superiores às outras quando têm coisas que as outras não têm. O importante é cuidar para manter o julgamento distante e sua opinião firme.

Outro aspecto que eu gostaria de abordar que está intimamente relacionado à prosperidade é o quanto preservamos nossos filhos em excesso.

Muitas vezes, por termos tido uma infância com sofrimento, não queremos que nosso filho passe por isso. Dessa forma, colocamos a criança numa redoma e nos esquecemos de ensiná-la a viver.

Quando cresce, essa criança está despreparada para o mundo, porque sempre foi blindada de tudo pelos pais. Entenda: seus filhos merecem ser muito felizes, mas cuidado: não os impeça de crescer. Quando você os superprotege, está com medo de que eles passem por algo, e isso bloqueia o fluxo da vida deles e o seu.

O oposto do medo é a ação. Quando vibro o amor, ajo de maneira amorosa com as crianças e entendo que o meu sentimento gera uma sensação de proteção, mas não reflete um medo de que algo ruim possa acontecer.

São muitas as dinâmicas que compõem os nossos relacionamentos. Inteligência financeira está além de fazer contas de quanto ganhar e quanto poupar. Está nas atitudes diárias de como lidar com a energia do dinheiro, da prosperidade, da doação. Como transmitir generosidade, como não emanar medo que bloqueia todos os fluxos.

Inteligência financeira é saber usar o dinheiro como uma energia a serviço de todos. Quando fazemos isso, a prosperidade reverbera como ondas, e quanto mais você vibra no fluxo da prosperidade, mais aprende e ensina ao outro por meio de atitudes.

A partir de hoje, seja a mãe próspera que você nasceu para ser. Determine que suas atitudes serão de prosperidade, generosidade, desprendimento, e entenda que seus filhos só entenderão a razão de sair de casa de manhã e voltar à noite se você estiver apaixonada pelo que faz.

Trabalhar "só" pelo dinheiro não vai trazer prosperidade. Trabalhar para contribuir, seguir sua missão de vida, iluminar o caminho dos outros, sim. Seus filhos nasceram sabendo disso. Aprenda com eles.

HORA DA AÇÃO

Chegou a hora de mudar! As mudanças sempre acontecem de dentro para fora. Muitas pessoas acreditam que o carro dos sonhos chega batendo na porta delas, que o amor da vida aparece num cavalo branco, que a casa e a família com que sempre sonharam são a materialização pura e simples de um desejo incondicional projetado pela mente, e com este livro você aprendeu que tudo começa aqui dentro.

Os seus pensamentos ganham emoção, se fortalecem com a mente e são impulsionados com a vontade. Isso mesmo: agir é importante para que você realize aquilo que está ali como intenção.

Vejo mulheres planejando, sonhando, sentadas diante do sofá, acreditando que a vida mágica irá bater à porta delas porque estão com a vibração alta. Os milagres estão todos aí disponíveis, e essa Vida Divina é possível para cada uma de nós. Para isso, exige que caminhemos em direção à luz.

Ao longo desta jornada, você pode ter enfrentado períodos de escuridão, porque percebeu que havia muita sujeira jogada debaixo do tapete.

Pode ter se dado conta de que não tinha a vida que queria, que estava vibrando uma vida de escassez, perturbada por medos, por desafios que precisavam de luz para que pudessem vir à tona.

Quando colocamos luz em aspectos que estavam escondidos, temos a oportunidade de curar nossas vidas. E na hora da ação, sugiro a você, que já está consciente de que deve harmonizar seus corpos, que fique atenta à alquimia interior, semeando o campo certo para que possa florescer essa nova vida.

Sabe quando vem o inverno e as sementes estão todas ali dentro da terra? Aparentemente nada está acontecendo, mas está havendo uma transformação que só pode ser vista durante a chegada da primavera. As flores só nascem porque tiveram um período em que houve essa transformação da semente, que não sabia que ia virar flor, mas que se lançou corajosamente pela terra, sem saber o que existiria dali em diante.

A vida exige coragem de nos lançarmos para conseguirmos colher os resultados de tudo aquilo que plantamos, e é na ação que conseguimos criar isso tudo.

Pode ser que, em algum momento, você se sinta algemada e presa às suas antigas crenças, não se ache merecedora de uma vida em que a felicidade é ilimitada, em que a abundância e o poder pessoal fazem parte do seu dia a dia.

Talvez você nunca tenha conseguido visualizar um estado mental no qual se sinta como uma personagem de um conto de fadas, quando a madrinha coloca a varinha de condão e faz a magia acontecer.

Existe uma magia invisível na nossa vida, atuando o tempo todo, e vou falar um pouco dela mais adiante. O que quero que você perceba agora e escreva em letras garrafais na sua caderneta é:

TODO TEMPO É TEMPO PARA MUDAR.

O importante é começar a planejar hoje. Reserve uns minutos no seu dia para refletir e visualizar o que deseja e coloque num papel quais são os sonhos que deseja materializar.

Quero que eles saiam do campo dos sonhos e se realizem. Você aprendeu que é necessário estar com a mente fortalecida, com o coração cheio de amor e uma disposição ilimitada de amar incondicionalmente as pessoas, sem o vício do julgamento, da reclamação, que a derrubam e deixam numa vibração de escassez que não proporciona nada de legal a sua vida.

Você entendeu que, quanto mais abrir as portas do coração, mais amor vai penetrar dentro dele, e que ninguém está aqui pronto com um ferrão para espetar os outros. Quando você se abrir e permitir a vulnerabilidade dentro de você, conseguirá ser você no seu estado de pura essência, pura consciência, sem máscaras, sem medo de andar pela rua e ser ferida ou enganada. Você vive como uma criança despreocupada, sabendo que existe uma inteligência divina e superior se encarregando para que tudo dê certo.

Você já deve ter ouvido falar da expressão "ela começou a caminhar e Deus colocou o chão debaixo dos pés dela". Essa expressão vale para tudo na vida. Somos premiados quando temos fé. A Vida Divina é a mais pura expressão de uma vida plena de confiança e amor em que não tememos nada que possa nos ameaçar ou ferir.

Não somos vítimas dos acontecimentos. Somos protagonistas da nossa história, e essa história pode ser escrita e reescrita a qualquer momento. Se você quer mudar a sua vida hoje e vivenciar a Vida Divina na Terra, é só querer essa vida, porque nascemos para isso. Não nascemos para sofrer, para só pagar contas, para encher a cabeça de preocupações ou medos infundados.

Nascemos com a centelha divina dentro de nós. Nascemos para dar o nosso potencial máximo, para transformar vidas, para experimentar sensações, situações, cheiros, cores, sabores, amores. Somos seres em evolução espiritual que compõem um planeta que não foi feito para que precisemos sofrer.

Lembre-se de que Jesus disse: quero que vocês tenham vida. Vida em abundância.

Somos seres divinos, e tudo que representa a abundância deve estar em nossas vidas. Devemos experimentar uma vida abundante, e temos o direito a ela. Podemos proporcionar uma vida abundante para nossos amigos, para as pessoas que nos auxiliam em nossas missões, para quem estiver ao nosso redor. Podemos ser luz e acender pontos de luz pela vida para que essa luz possa iluminar as outras pessoas que convivem conosco.

Agora, vamos fazer um planejamento estratégico. Talvez você não saiba, mas o tempo é criado pelo homem. Para a física quântica, não existe tempo.

Não precisamos esperar o ano-novo para mudar. Podemos começar hoje. A colheita dos resultados não é imediata. Ela é um processo que começa pela mudança das crenças que temos, do que acreditamos, do padrão de pensamentos que temos, para depois virar um sentimento e um comportamento.

Comece a planejar hoje cada aspecto da sua vida que você quer que mude. Crie a sua Vida Divina como uma criadora, como se estivesse diante de um livro em branco no qual você pode escrever a história que quiser contar sobre você.

Você é a heroína, vitoriosa de sua vida. Esqueça a "guerreira" que tanto luta para ter resultados. Deixe as armas de lado e arme-se de amor. O amor é a ferramenta mais poderosa de autocura, de cura interna, de cura de relações, de desafios. Se você estiver com dificuldade para vibrar amor, sugiro que planeje colocar todos os dias, nas suas orações, dez motivos para agradecer, até fortalecer na sua mente que existem mais motivos para gratidão do que para medo.

Planeje. Coloque no papel, rabisque, recorte de revistas, cole. Seja criança novamente e vista-se de alegria e entusiasmo como se sua caneta fosse uma varinha mágica capaz de escrever tudo aquilo que irá se concretizar.

Limpe seu coração de mágoas, deixe a angústia derreter debaixo do chuveiro. Se necessário, chore. Chore até acabarem as lágrimas, para poder limpar seu coração. As lágrimas são as únicas ferramentas internas que conseguem dissolver tudo de ruim que existe estagnado dentro dos nossos órgãos.

Para a vida ser um fluxo de prosperidade, esse rio precisa estar fluindo. Peça ajuda se as barragens estiverem impedindo que ele flua. Se precisar tomar decisões, escreva o que precisa ser mudado em sua vida. Converse com as pessoas sobre as relações que a estão incomodando, não para culpar ninguém, e sim para esclarecer que tipos de providências precisam ser tomadas.

Tire os problemas da frente. Agir é colocar energia em movimento.

Nada pode ficar parado. Vida é movimento e fluxo.

Minha vida foi uma sucessão de altos e baixos que compuseram um equilíbrio perfeito. Aquela Rafaela de um ano atrás não existe mais. Cada pessoa que conheço, cada troca que faço, enriquecem a Rafaela que fui e a tornam mais preparada para ser a Rafaela de hoje.

Deixe lá atrás tudo aquilo que não faz mais parte de você. Permita-se ser uma metamorfose ambulante, uma fonte inesgotável de criatividade, beleza, alegria, firmeza de propósito. Tenha a vida que pediu a Deus, porque você pode estar em constante evolução.

Se detectar certa vulnerabilidade, não sinta medo. Deixe a vida seguir o fluxo. Sofremos por apego. Apego à vidinha mais ou menos que achamos que não pode mudar. Apego ao sofrimento. Merecemos uma vida abundante e incondicionalmente feliz. Merecemos prosperidade, tanto material quanto espiritual. Merecemos sorrir mais e chorar só quando temos vontade e por motivos que não sejam pequenos.

Merecemos uma vida de alegria, com propósito, trabalho que remunere nosso talento, para que possamos honrar nossa passagem pela Terra. Merecemos e precisamos agir em direção aos nossos sonhos.

O importante é começar a planejar imediatamente. Você precisa ter um caderno no qual anote sonhos, ideais, ideias, sejam elas um carro novo, uma viagem, seja um casamento ideal. É importante nutrir sonhos, ao invés de nutrir medos. Se você nutre sonhos, está mais perto do céu, porque eles são um pedaço dele.

Portanto, chamo agora para a ação. Escreva tudo que precisa ser mudado em sua vida. Todas as áreas que precisam de sua energia. Todos os âmbitos em que você quer melhorar, que quer transformar, e aplique sua energia em cada um deles.

Não precisa pensar no como fazer isso. Simplesmente escreva o que precisa ser mudado e tenha consciência de que precisa tomar providências concretas. Existe uma relação tóxica da qual você precisa se afastar? Um trabalho que precisa ser mais organizado? Uma carreira que a impede de ser feliz?

Comece a elencar o que precisa ser mudado e imaginar como seria a vida dos sonhos. Essa vida só se torna possível se você souber o que deseja e o que não deseja dentro dela.

Deixe uma caixinha com os medos de lado. Eles não terão mais utilidade. Eles podem ser encarados e ficar pequenininhos ali para que você possa vivenciar a Vida Divina.

Acredite: você merece uma Vida Divina de Prosperidade. Vamos fazer o seu inventário para transformar cada uma das áreas de sua vida.

SEU INVENTÁRIO
Agora é hora de fazer o seu inventário

PLANEJAMENTO DE INTENÇÕES

- ✧ Como você está hoje (fisicamente e emocionalmente)?
- ✧ Como foi sua semana após a leitura do livro?
- ✧ Quais metas semanais traçou e quais resultados obteve? Como se sente perante esses resultados?

FERRAMENTA DREAM LIST

ORIENTAÇÕES GERAIS:

Escreva uma lista de Sonhos, Desejos, Metas, Objetivos e Planos. Ela será dividida por períodos (curto, médio e longo prazo) e irá compor seu planejamento de intenções. Depois será transposta para o planejamento estratégico do seu contrato e da sua vida de forma geral. Exemplo:

- ✧ Ter o organograma da minha equipe enxuto e bem-estruturado
- ✧ Bater a meta proposta com a diretoria ultrapassando em 2% o esperado
- ✧ Comprar uma casa
- ✧ Fazer uma faculdade / pós-graduação / doutorado
- ✧ Comprar um carro
- ✧ Viajar para o exterior
- ✧ Casar-se / ter um filho
- ✧ Fazer um curso de línguas estrangeiras

O MAPA DA PROSPERIDADE

- ❖ Parar de fumar
- ❖ Emagrecer 15 quilos

Essa é uma lista pequena de exemplo, e envolve muitos de nossos desejos e sonhos. Aqui é muito importante saber que o objetivo é trazer para a consciência a clareza daquilo que está dentro da sua mente, e muitas vezes, por falta de organização mental e energia focada e direcionada, além de essas metas não fluírem, estão tirando-a do aqui e agora, único lugar que é real.

Ao final do exercício, sugiro que seja feito um cartaz dessa lista de sonhos, com gravuras – isso vai potencializar seus resultados. Se tudo com que você se preocupa hoje fosse resolvido, não houvesse medo, nem dor, o que você faria com seu tempo e sua vida que a deixaria mais feliz e plena?

OBJETIVOS DO MÊS
Prioridades Semanais

SEMANA 1

SEMANA 2

SEMANA 3

SEMANA 4

PRIORIDADES DO DIA

FOCO DO DIA

Em uma palavra, hoje eu quero:

✦

As minhas três prioridades para hoje são:

✦

✦

✦

LISTA DE AFAZERES:

✦

✦

✦

✦

"Há aqueles que alcançaram Deus diretamente, sem reter nenhum traço dos limites mundanos e lembrando perfeitamente sua própria Identidade. Estes podem ser chamados de Professores dos professores porque, embora já não sejam visíveis, a sua imagem pode ainda ser invocada. E eles aparecerão em todos os momentos e em todos os lugares em que for útil fazê-lo. Às pessoas a quem tais aparições assustariam, eles dão as suas ideias. Ninguém pode invocá-los em vão. Nem existe pessoa alguma da qual não estejam cientes"

(UCEM – MP – pág. 66)

Um Curso em Milagres

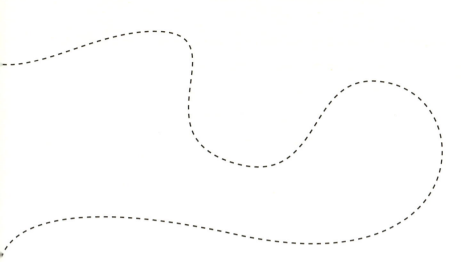

UM POUCO DE MAGIA

Tudo neste planeta é interligado, e cada ação tem uma reação. Magia é algo poderoso se usado para o bem. Caso você use para o mal, sempre terá o resultado de sua ação em sua vida.

Intenção é algo muito poderoso, e somos grandes arquitetos do Universo que vamos criando soluções, tecnologia e caminhos possíveis.

Escolhemos o tempo todo. Escolhemos os nossos pensamentos, as nossas ações, o que vamos comer, o que vamos nutrir com nossa energia. Tudo é resultado das nossas escolhas. Simples assim.

Neste capítulo final, quero deixar um pouco de magia em sua vida. E para que essa aventura fique ainda mais divertida (porque na verdade a vida nem deveria ser séria; quanto mais temperada com alegria, melhor será), trago algumas citações de um seriado a que assisti há pouco tempo com minhas filhas para destrinchar alguns pontos sobre uma vida mágica.

O nome da série é *Once upon a time*, e ela conta sobre uma cidade povoada por personagens de contos de fada que não sabem que são personagens de contos de fada. Eles estão sob o efeito de uma maldição de uma bruxa que aprisionou suas mentes e suas vidas naquela cidade.

Logo, não vivem uma vida de magia, e sim no piloto automático. Apenas uma realidade dura como a que acreditamos que é real quando estamos aprisionados em nosso dia a dia, sem cogitar infinitas possibilidades.

"Você tem de se perguntar quão longe está disposta a ir."

Essa pergunta deveria ser o cerne das nossas vidas. Nascemos com a possibilidade de criar, de realizar, de fazer tudo acontecer, mas ficamos aprisionadas num condicionamento de medo imposto por televisão, jornais, pessoas que estão simplesmente aceitando a vida escassa ao invés de acordar e perceber que podem realizar tudo que quiserem, porque nasceram com infinitos potenciais para a criação de uma Vida Divina.

Temos essa centelha dentro de nós. Temos capacidade de transformar cada minuto de nossas vidas em um poderoso ato de coragem que nos eleva e nos impulsiona. Somos fontes de luz, geramos vida. Mulheres poderosas que magnificamente foram esculpidas pela natureza para darem à luz novos seres divinos.

Por que nos condicionamos a sermos pequenas quando podemos usar a nossa capacidade de gerar vida e criar realidades?

Pergunte a si mesma: o quão longe estou disposta a ir?

Onde seus sonhos podem alcançar? Não existe um teto. Não existe um limite. Nem financeiro, nem de qualquer instância. Você é quem coloca o limite!

"O amor verdadeiro é mágico, e não apenas uma magia qualquer, e sim a magia mais poderosa de todas"

Falamos aqui muito sobre amor incondicional. O amor é a ferramenta mais poderosa que existe. Amor é capaz de derrubar barreiras, de unir povos, de promover curas.

Jesus era um ser de puro amor. Maria, sua mãe, era um ser de amor. Maria Madalena era um ser de muito amor.

Somos seres feitos de amor, ele é mágico. Lembre-se da cena mais poderosa de sua vida. Ela tinha amor.

Era no nascimento de um filho, no seu casamento, num momento que reservava o tesouro maior que temos. O direito divino de amar nos é concedido no nosso nascimento.

Ame, sobretudo a si mesma, porque você merece uma Vida Divina. Você merece o melhor. As melhores situações, a melhor vida, os melhores pensamentos, as melhores roupas, viagens, carro, casa, marido, carreira.

Lembre-se de que o que é melhor para você pode não ser o melhor para o outro. Portanto, respeite as escolhas de cada um.

Escolha o amor e entenda que todo resultado é fruto de uma escolha. Amar é uma escolha divina.

*"Acreditar ao menos na possibilidade de um
final feliz é uma coisa muito poderosa"*

Você pode não enxergar nada neste momento, no entanto, acredite na possibilidade de um final feliz, que ele virá, de uma maneira ou de outra. Acreditar é colocar um tempero de fé na sua história e criar aquilo que você quer para sua vida.

Acreditar é colorir seu livro de possibilidades com as cores que quer que a sua vida tenha.

Acredite no final feliz. Sonhe com ele e deseje ardentemente. Realize.

*"Todos querem uma solução mágica para tudo,
mas se recusam a acreditar na magia"*

Magia é física quântica pura. É o mundo das infinitas possibilidades agindo sempre ao seu favor.

Crie magia positiva em sua vida repetindo diariamente que sua vida é divina, que você merece o melhor, que tudo vai dar certo. Acredite nesses pensamentos até que eles tenham força e possam estar nas suas células.

Queremos soluções mágicas, e elas existem. Mas não acreditamos que existem.

Acredite na sua capacidade infinita de ter uma vida mágica.

"As pessoas vão lhe dizer quem você é a sua vida inteira.
Você tem que revidar dizendo 'Não, esta sou eu'.
Você quer que as pessoas a enxerguem diferente?
Faça com que elas enxerguem.
Você quer mudar as coisas?
Você vai ter que sair e mudá-las você mesma.
Porque não existem fadas madrinhas nesse mundo"

Um dos ensinamentos desse seriado é esta frase. Ficamos a vida toda esperando que alguém nos toque com uma varinha de condão e transforme tudo em nossas vidas, e sentamos esperando.

Você pode mudar a sua realidade e construir a vida que deseja. Você precisa agir em direção aos seus sonhos.

Você merece entender que você é a sua fada madrinha e pode se tornar a fada madrinha de outras pessoas.

O poder está em você. Use-o!

"Abra seus olhos. Olhe ao redor. Acorde. Já não é hora?"

Acorde. Você está sendo chamada para despertar e viver uma Vida Divina.

MULTIPLIQUE A PROSPERIDADE

Você deve ter percebido aqui em nossa jornada que o fluxo da prosperidade se mantém no equilíbrio entre dar e receber. Quanto mais aprendo sobre prosperidade, aplico os conhecimentos no meu dia a dia e repasso o aprendizado, mais prosperidade eu colho em todos os níveis. Por isso, faço um convite: se você gostou deste livro, se ele tocou algo dentro de você e lhe trouxe algum benefício, recomende para seus familiares e amigos, dê de presente. Junte se a mim, à Divine Woman e às Divinas, pois uma causa só cresce e se fortalece quando abraçada de coração pelos outros e multiplicada.

Sou imensamente grata a cada pessoa que Deus coloca em meu caminho e que ajuda a propagar minha mensagem de amor, fé e prosperidade lendo, comentando e compartilhando meus *posts* no Instagram, Facebook e YouTube. No momento que vivemos neste planeta, precisamos contar cada vez mais uns com os outros na supermissão de espalhar a prosperidade real por um caminho mais direto.

Aliás, sabe outra coisa bem legal que você pode fazer? Tire uma foto com *O mapa da prosperidade*, poste nas suas redes sociais com as *hashtags* **#omapadaprosperidade** e **#vidadivina** e marque **@rafaelagenerosooficial** para que eu possa repostar e conhecer você. Assim meus mais de cem mil seguidores também poderão conhecer você e sua missão. Pensei aqui, quem sabe você tem um *blog* ou *site* e pode publicar uma resenha do livro com um *link* para **www.rafaelageneroso.com.br**? Será I-N-C-R-Í-V-E-L!!!

Se você sentiu que deseja mergulhar mais fundo e ganhar velocidade na conquista da sua Vida Divina e quer fazer *coaching*, terapia ou mentoria comigo, resgate a sessão de alinhamento de prosperidade que a Divine Woman citou na página anterior. Lá poderemos descobrir a melhor forma de continuarmos juntas.

Ah! Será maravilhoso ter você comigo em algum dos meus treinamentos ou eventos ao vivo. Vamos nos conhecer, nos abraçar (amo abraços fofinhos), tirar uma foto. E é claro que vou autografar seu livro.

Beijos prósperos no seu coração,

Rafaela Generoso